최신
개정판

· 중학

검정고시의 정석

수학

편집부저

도서출판 국자감
www.kukjagam.co.kr

목차

CONTENTS

수학

목차 | CONTENTS

Mathematics

01 수와 연산 (1)

01 수와 연산(1)

1 자연수

자연적으로 존재하는 수, 흔히 우리가 일상생활에서 사용하는 돈들이 자연수이다. 0은 자연수가 아니므로 유의한다. 예 1, 2, 3, 4, …, 억, … 조, …

1) 소수

· 1과 자기 자신의 수를 약수로 갖는 수 예 2, 3, 5, 7, 11, 13, 17, …

2) 합성수

· 1과 소수를 제외한 모든 자연수 예 2, 4, 6, 8, 9, 10, 12, 14, …

※ 1은 소수도 합성수도 아니다.

3) 거듭제곱

· 같은 수 또는 문자를 여러 번 곱한 것을 나타낸 것

예 $a \times a = a^2$, $3 \times 3 \times 3 = 3^3$, …

4) 소인수분해

· 소수의 곱으로 표현하는 것을 소인수분해라고 하는데, 쉽게 말하면, 소수로써 숫자를 분해하는 것을 말한다. 예 $8 = 2^3$, $12 = 2^2 \times 3$, $30 = 2 \times 3 \times 5$, …

· 소인수분해로 약수 찾기

예 12의 약수는 1, 2, 3, 4, 6, 12이다. 그러나 소인수분해하면 $12 = 2^2 \times 3$이 되다 따라서 약수는 2, 3, 2×2, 2×3, $2^2 \times 3$. 참고적으로 '모든 수의 약수는 '1과 자신의 수' 는 반드시 포함된다. 따라서, 12의 약수는 1, 2, 3, 4, 6, 12가 된다.

· 소인수분해하는 방법

$$\begin{aligned} 60 &= 2 \times 30 \\ &= 2 \times 2 \times 15 \\ &= 2 \times 2 \times 3 \times 5 \\ &= 2^2 \times 3 \times 5 \end{aligned}$$

● 기본문제1

01 다음 수를 거듭제곱으로 나타내시오.

① $x \times x \times x \times x$ ② $3 \times 3 \times 3 \times 3 \times 3$

③ $a \times a \times b \times b$ ④ $5 \times 5 \times 5 \times 7 \times 7$

02 다음에서 소수를 찾으시오.

1	2	3	4	5	6	7	8	9	10
11	12	13	14	15	16	17	18	19	20
21	22	23	24	25	26	27	28	29	30
31	32	33	34	35	36	37	38	39	40
41	42	43	44	45	46	47	48	49	50
51	52	53	54	55	56	57	58	59	60
61	62	63	64	65	66	67	68	69	70
71	72	73	74	75	76	77	78	79	80
81	82	83	84	85	86	87	88	89	90
91	92	93	94	95	96	97	98	99	100

03 다음 수를 소인수분해 하시오.

① 8 ② 12 ③ 18 ④ 20

⑤ 24 ⑥ 27 ⑦ 30 ⑧ 36

04 다음 중 소인수분해한 것으로 옳은 것은?

① $12 = 3 \times 4$ ② $18 = 3 \times 6$

③ $20 = 2^2 \times 5$ ④ $30 = 5 \times 6$

05

다음 중 24를 소인수분해 하면 $24 = 2^3 \times 3$이 된다. 이 때 약수가 아닌 것은?

① 1　　② 3

③ $2^2 \times 3^2$　　④ $2^3 \times 3$

06

다음은 소인수분해하는 과정이다. □ 안에 알맞은 수를 써 넣으면?

□) 36

□) 18

□) 9

　□

$$\therefore 36 = 2^{\square} \times 3^{\square}$$

01. ① x^4　② 3^5　③ $a^2 \times b^2$　④ $5^3 \times 7^2$

02.

1	2	3	4	5	6	7	8	9	10
11	12	13	14	15	16	17	18	19	20
21	22	23	24	25	26	27	28	29	30
31	32	33	34	35	36	37	38	39	40
41	42	43	44	45	46	47	48	49	50
51	52	53	54	55	56	57	58	59	60
61	62	63	64	65	66	67	68	69	70
71	72	73	74	75	76	77	78	79	80
81	82	83	84	85	86	87	88	89	90
91	92	93	94	95	96	97	98	99	100

03. ① 2^3　② $2^2 \times 3$　③ 2×3^2　④ $2^2 \times 5$　⑤ $2^3 \times 3$

⑥ 3^3　⑦ $2 \times 3 \times 5$　⑧ $2^2 \times 3^2$

04. ③　　05. ③　　06. 2, 2, 3, 3, 2, 2

2 공약수와 최대공약수

1) **공약수** : 두 개 이상의 자연수에 공통되는 약수

2) **최대공약수** : 공약수 중에서 가장 큰 수

예 4의 약수 : 1, 2, 4　　　　8의 약수 : 1, 2, 4, 8

→ 공약수 : 1, 2, 4

→ 최대공약수 : 4

3) **서로소** : 최대공약수가 1인 두 자연수

● 기본문제2

01　**10의 약수를 구하시오.**

02　**12의 약수를 구하시오.**

03　**10과 12의 공약수를 구하시오.**

04　**10과 12의 최대공약수를 구하시오.**

01. 1, 2, 5, 10　　02. 1, 2, 3, 4, 6, 12

03. 1, 2　　04. 2

3 공배수와 최소공배수

1) **공배수** : 두 개 이상의 자연수의 공통인 배수

2) **최소공배수** : 공배수 중에서 가장 작은 배수

예 4의 배수 : 4, 8, 12, 16, 20, 24 ⋯ 8의 배수 : 8, 16, 24 ⋯

→ 공배수 : 8, 16, 24 ⋯

→ 최소공배수 : 8

3) **최소공배수의 성질** : 두 개 이상의 자연수의 공배수는 최소공배수의 배수이다.

● 기본문제3

01 3의 배수를 구하시오.

02 6의 배수를 구하시오.

03 3과 6의 공배수를 구하시오.

04 3과 6의 최소공배수를 구하시오.

01. 3, 6, 9, 12, 15, 18, ⋯

02. 6, 12, 18, 24, 30, ⋯

03. 6, 12, 18, ⋯

04. 6

Exercises 1

단원문제 1

01 다음 중 소수가 아닌 것은?

① 1　② 5
③ 7　④ 13

02 24를 소인수분해 하면?

① 1×24　② 2×12
③ 6×2^2　④ $2^3 \times 3$

03 $18 = 2 \times 3^2$일 때, 약수가 아닌 것은?

① 1　② 2×3
③ 2×3^2　④ $2^2 \times 3$

04 $20 = 2^a \times b$ 로 소인수분해 될 때, $a + b$의 값은?

① 2　② 5
③ 7　④ 13

05 다음은 54를 소인수분해하는 과정을 나타낸 것이다. 54를 소인수분해한 결과로 옳은 것은?

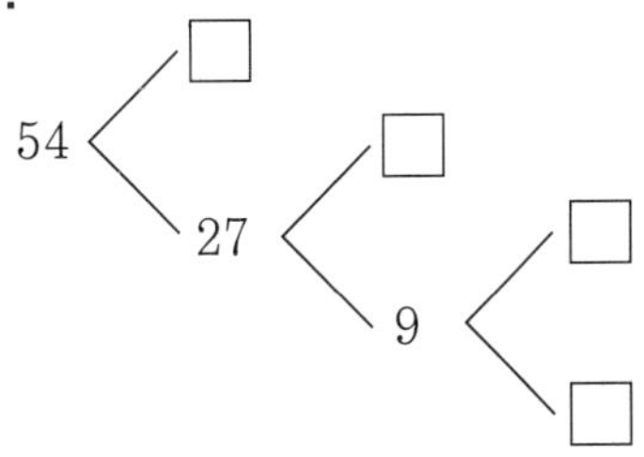

① 2×27　② 6×3^2
③ 2×3^3　④ $2 \times 3 \times 9$

06 다음은 약수를 구한 것이다. 옳은 것은?

① 4 = 1, 2, 4
② 8 = 1, 2, 3, 4, 5, 6, 7, 8
③ 10 = 10, 20, 30, 40, 50
④ 12 = 2, 4, 6, 8, 10, 12

07 6과 9의 공약수는?

① 1
② 3
③ 1, 3
④ 1, 2, 3, 6, 9

08 10과 12의 최대공약수는?

① 1, 2, 5, 10
② 1, 2, 3, 4, 6, 12
③ 1, 2
④ 2

09 4와 8의 공배수는?

① 2
② 4
③ 8
④ 12

10 3과 5의 최소공배수는?

① 3
② 5
③ 15
④ 30

정답 176쪽

Mathematics

02

수와 연산(2)

02 수와 연산(2)

1 정수

- 양의 정수(자연수), 0, 음의 정수 이렇게 이루어진 수를 정수라고 하며, 보통 양수, 0, 음수라고 한다.

$$\text{정수} - \begin{cases} \text{양의 정수(양수)} + \\ \quad 0 \\ \text{음의 정수(음수)} - \end{cases}$$

- 숫자에는 보통 부호가 붙는다. 부호는 +(플러스), −(마이너스)이고, 보통 숫자를 맨 앞에 쓸 때는 +(플러스)는 붙이지 않는 것이 일반적이고, −(마이너스)는 반드시 붙여야 한다. 예 $+2-3$을 $2-3$으로 보통 쓴다.

1) 정수의 덧셈과 뺄셈

· 계산시 부호가 제일 중요하므로 반드시 숙지한다.

· 초등학교 때에는 큰 수에서 작은 수를 빼는 계산을 했었지만, 정수 부분에서는 반드시 그런 원칙을 지키지 않는다.

· 계산 방법 $\begin{cases} \text{부호가 같을시 숫자끼리 더하고 그 부호를 붙인다.} \\ \text{부호가 다를시 큰 수에서 작은 수를 빼고, 큰 수의 부호를 붙인다.} \end{cases}$

예 $-3-5=-8$, $4-7=-3$, $3+8=+11$

2) 정수의 곱셈과 나눗셈

· 구구단을 잘 알고 있어야 하고, 숫자의 부호가 가장 중요하므로 반드시 숙지한다.

· 계산 방법 $\begin{cases} \text{다른 부호끼리의 곱 또는 나눗셈은 부호가 } - \text{ 가 된다.} \\ \text{같은 부호끼리의 곱 또는 나눗셈은 부호가 } + \text{ 가 된다.} \end{cases}$

예 $3\times-2=-6$, $-3\times-5=15$, $4\div-2=-2$

기본문제1

01 **다음을 계산하시오.**

① $1-7$ ② $-6+9$ ③ $-7-3$ ④ $5-9$

⑤ $10-11$ ⑥ $9-15$ ⑦ $7-2$ ⑧ $-8-2$

⑨ $6-0$ ⑩ $0-5$ ⑪ $4-7$ ⑫ $12-12$

02 **다음을 계산하시오.**

① $(-3)+(+4)$ ② $(-7)+(-3)$ ③ $(+7)+(-4)$

④ $(+2)+(-2)$ ⑤ $(-3)-(+9)$ ⑥ $(+4)-(-3)$

⑦ $(+2)-(+12)$ ⑧ $(-15)-(-7)$

03 다음을 계산하시오.

① $(+7)\times(-3)$ ② $(-3)\times(+2)$ ③ $(-3)\times(-2)$

④ $(-6)\times(+2)$ ⑤ $(+8)\times(-4)$ ⑥ $(-9)\times 0$

⑦ $(-9)\times(-3)$ ⑧ $(+2)\times(-3)$ ⑨ $\dfrac{+12}{-2}$

⑩ $\dfrac{-15}{-5}$ ⑪ $\dfrac{-3}{+18}$ ⑫ $\dfrac{0}{-5}$

⑬ $\dfrac{-3}{-3}$ ⑭ $\dfrac{+9}{+6}$

01. ① -6 ② 3 ③ -10 ④ -4 ⑤ -1 ⑥ -6
⑦ 5 ⑧ -10 ⑨ 6 ⑩ -5 ⑪ -3 ⑫ 0

02. ① 1 ② -10 ③ 3 ④ 0 ⑤ -12 ⑥ 7
⑦ -10 ⑧ -8

03. ① -21 ② -6 ③ 6 ④ -12 ⑤ -32 ⑥ 0
⑦ 27 ⑧ -6 ⑨ -6 ⑩ 3 ⑪ $-\dfrac{1}{6}$ ⑫ 0
⑬ 1 ⑭ $\dfrac{3}{2}$

2 유리수

자연수, 정수보다 윗단계 수로써, 분수와 소수를 포함하는 수를 유리수라고 한다.

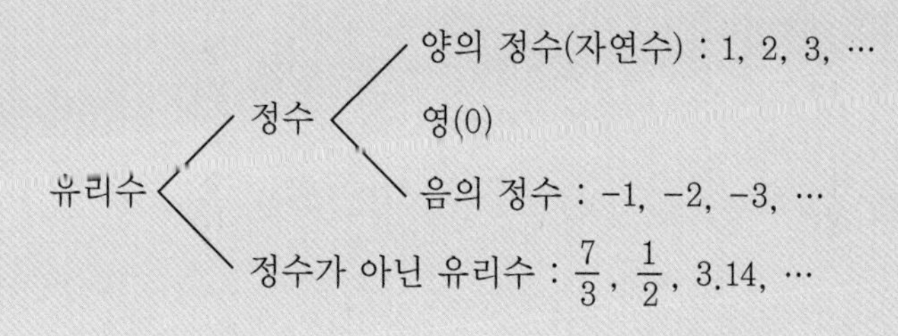

1) 유한소수

· 한계가 있는 소수, 즉 끝이 존재하는 소수를 말한다. 예 0.3, 0.123, 1.5, …

· 매번 수를 나누어서 나누어떨어지는지, 안떨어지는지 확인하기에는 한계가 있기 때문에, 소인수분해를 통해 분모가 2 또는 5가 있으면 유한소수라고 한다.

예 $\frac{3}{2\times5}$, $\frac{1}{2}$, $\frac{3}{5}$, …

2) 무한소수

· 순환소수 : 소수점 아래로 특정 숫자가 반복되는 소수 예 0.1111 …

· 순환소수는 무한소수이지만, 분수로써 표현할 수 있기때문에 유리수로 분류된다.

· $0.333\cdots \to 0.\dot{3}$, $1.121212\cdots \to 1.\dot{1}\dot{2}$, $0.153153\cdots \to 0.\dot{1}5\dot{3}$

(반복되는 숫자를 순환마디라고 부르며, 반복되는 숫자 위에 점을 찍는다. 그러나 순환마디가 3개 이상일 때는 양쪽 끝의 숫자에만 점을 찍으므로 유의한다.)

· $0.\dot{3} = \frac{3-0}{9} = \frac{3}{9} = \frac{1}{3}$, $0.\dot{1}\dot{5} = \frac{15-0}{99} = \frac{15}{99} = \frac{5}{33}$

(소수점 이하 점 하나당 숫자 9를 의미한다. $0.\dot{1}\dot{5}$는 점이 두 개이므로 분모가 99가 되었다.)

● 기본문제2

01 다음 분수 중에서 유한소수로 나타낼 수 <u>없는</u> 것은?

① $\frac{3}{12}$ ② $\frac{2}{24}$

③ $\frac{1}{8}$ ④ $\frac{3}{15}$

02 다음 분수 중에서 유한소수로 나타낼 수 있는 것은?

① $\frac{4}{2 \times 3 \times 5}$ ② $\frac{18}{2^2 \times 3^2 \times 7}$

③ $\frac{6}{2^2 \times 3^2 \times 5}$ ④ $\frac{6}{2 \times 3 \times 5}$

03 다음 순환소수의 순환마디를 구하시오.

① $0.55555\cdots$ ② $1.212121\cdots$

③ $1.162162162\cdots$ ④ $0.232323\cdots$

04 다음 소수를 분수로 나타내시오. (약분은 생략하시오.)

① $0.2\dot{3}$ ② $0.\dot{5}$ ③ $1.1\dot{4}\dot{9}$

④ $1.5\dot{8}$ ⑤ $2.\dot{1}5\dot{3}$

정답

01. ② 02. ④ 03. ① 5 ② 21 ③ 162 ④ 23

04. ① $\frac{21}{90}$ ② $\frac{5}{9}$ ③ $\frac{1138}{990}$ ④ $\frac{143}{90}$ ⑤ $\frac{2151}{999}$

3 무리수

실수를 이루는 마지막 수의 체계로 기존에 있는 자연수, 정수, 유리수와는 별도의 수이며, 순환하지않는 무한소수를 무리수라 부른다. 그리고, $\sqrt{\ }$ (루트) 안에 수를 써서 표현한다. 예 $\sqrt{2}$, $\sqrt{5}$, $\pi\cdots$ 등등

1) 제곱근

· $a \geq 0$일 때, 제곱해서 a가 되는 수, x를 a의 제곱근이라 한다.

[예시1] $x^2 = a \rightarrow x = \pm\sqrt{a}$, $x^2 = 4 \rightarrow x = \pm 2$

2) 제곱근의 성질

· $a \geq 0$일 때,

① $(\sqrt{a})^2 = a$, ② $(-\sqrt{a})^2 = a$, ③ $\sqrt{a^2} = a$, ④ $\sqrt{(-a)^2} = a$

3) 무리수의 덧셈과 뺄셈

[예시1]

$3\sqrt{b} + 2\sqrt{b} = 5\sqrt{b}$

루트 안의 숫자가 같을 때에만 계산을 할 수 있으며, 루트 안의 숫자는 건드리지 않고, 루트 밖의 숫자끼리 계산한다.

$3\sqrt{b} - 2\sqrt{b} = \sqrt{b}$

계산시 루트 앞의 숫자가 1이면 생략한다.

[예시2]

$\sqrt{8} + \sqrt{2} = 2\sqrt{2} + \sqrt{2} = 3\sqrt{2}$

만약 루트 안의 숫자가 다르면 소인수분해를 통해 숫자를 반드시 같게 만들어준 후 계산을 한다.

4) 무리수의 곱셈과 나눗셈

[예시1] $\sqrt{3} \times \sqrt{2} = \sqrt{6}$, $3\sqrt{2} \times 5\sqrt{5} = 15\sqrt{10}$

$\sqrt{8} \div \sqrt{4} = \sqrt{2}$, $4\sqrt{6} \div 2\sqrt{2} = 2\sqrt{3}$

숫자끼리만 곱하거나 나누면 되고, 루트가 없는 것끼리, 루트가 있는 것끼리 곱하고 나눈다.

[예시2] $2\sqrt{6} \times \sqrt{3} = 2\sqrt{18} = 6\sqrt{2}$

$6\sqrt{12} \div 3\sqrt{3} = 2\sqrt{4} = 4$

계산을 한 후 루트 안의 숫자가 소인수분해를 통해 밖으로 빠져나오는 숫자가 있으면 반드시 빼내야 한다.

5) 분모의 유리화

· 분수에서 분모가 무리수이면, 반드시 루트를 벗겨내서 유리수로 만드는 것을 말한다.

[예시1] $\frac{1}{\sqrt{2}} \Rightarrow \frac{1}{\sqrt{2}} \times \frac{\sqrt{2}}{\sqrt{2}} = \frac{\sqrt{2}}{2}$

● 기본문제3

01 **다음 수의 제곱근을 구하시오.**

① 3의 제곱근　② 4의 제곱근　③ 5의 제곱근　④ 9의 제곱근

⑤ 10의 제곱근　⑥ 16의 제곱근　⑦ 25의 제곱근　⑧ 36의 제곱근

02 **다음 값을 구하시오.**

① $\sqrt{5^2}$　② $-(\sqrt{7})^2$　③ $\sqrt{(-10)^2}$

④ $-\sqrt{11^2}$　⑤ $-\sqrt{(-3)^2}$

03 **다음을 $a\sqrt{b}$ 의 꼴로 나타내시오.**

① $\sqrt{8}$　② $\sqrt{12}$　③ $\sqrt{18}$　④ $\sqrt{20}$

⑤ $\sqrt{24}$　⑥ $\sqrt{27}$　⑦ $\sqrt{28}$　⑧ $\sqrt{32}$

⑨ $\sqrt{40}$　⑩ $\sqrt{45}$　⑪ $\sqrt{48}$　⑫ $\sqrt{50}$

04

다음을 계산하시오.

① $\sqrt{2} \times \sqrt{7}$　② $3 \times \sqrt{5}$　③ $\sqrt{3} \times \sqrt{4}$

④ $2\sqrt{3} \times 3\sqrt{5}$　⑤ $\sqrt{3} \times 2\sqrt{2}$　⑥ $-1 \times 2\sqrt{5}$

⑦ $\sqrt{5} \times \sqrt{3}$　⑧ $3\sqrt{3} \times 2\sqrt{2}$　⑨ $\sqrt{5} \times 0$

05

다음 식을 계산하시오.

① $\dfrac{\sqrt{8}}{\sqrt{2}}$　② $\dfrac{2\sqrt{12}}{\sqrt{3}}$

③ $\dfrac{6\sqrt{12}}{3\sqrt{2}}$　④ $\dfrac{9\sqrt{12}}{3\sqrt{6}}$

06

다음을 계산하시오.

① $\sqrt{3} + \sqrt{3} + \sqrt{3}$　② $4\sqrt{5} + 2\sqrt{5}$

③ $-5\sqrt{3} - 2\sqrt{3}$　④ $2\sqrt{3} - 2\sqrt{3}$

⑤ $3\sqrt{3} + 5\sqrt{7} - 5\sqrt{7} + 2\sqrt{3}$　⑥ $3\sqrt{2} - \sqrt{8}$

07 다음 식을 분모의 유리화를 통해 바꾸어 보시오.

① $\frac{1}{\sqrt{3}}$　　② $\frac{\sqrt{5}}{\sqrt{3}}$

③ $\frac{5}{\sqrt{5}}$　　④ $\frac{1}{3\sqrt{7}}$

01. ① $\pm\sqrt{3}$　② ± 2　③ $\pm\sqrt{5}$　④ ± 3
　⑤ $\pm\sqrt{10}$　⑥ ± 4　⑦ ± 5　⑧ ± 6

02. ① 5　② -7　③ 10　④ -11　⑤ -3

03. ① $2\sqrt{2}$　② $2\sqrt{3}$　③ $3\sqrt{2}$　④ $2\sqrt{5}$　⑤ $2\sqrt{6}$
　⑥ $3\sqrt{3}$　⑦ $2\sqrt{7}$　⑧ $4\sqrt{2}$　⑨ $2\sqrt{10}$　⑩ $3\sqrt{5}$
　⑪ $4\sqrt{3}$　⑫ $5\sqrt{2}$

04. ① $\sqrt{14}$　② $3\sqrt{5}$　③ $2\sqrt{3}$　④ $6\sqrt{15}$　⑤ $2\sqrt{6}$
　⑥ $-2\sqrt{5}$　⑦ $\sqrt{15}$　⑧ $6\sqrt{6}$　⑨ 0

05. ① 2　② 4　③ $2\sqrt{6}$　④ $3\sqrt{2}$

06. ① $3\sqrt{3}$　② $6\sqrt{5}$　③ $-7\sqrt{3}$　④ 0　⑤ $5\sqrt{3}$
　⑥ $\sqrt{2}$

07. ① $\frac{\sqrt{3}}{3}$　② $\frac{\sqrt{15}}{3}$　③ $\sqrt{5}$　④ $\frac{\sqrt{7}}{21}$

Exercises 2

단원문제 2

01 다음 중 정수의 개수는?

$$-3,\ -\sqrt{2},\ 0,\ \frac{1}{2},\ 5,\ \sqrt{10}$$

① 1개　② 2개
③ 3개　④ 없다.

02 다음 중 정수가 아닌 유리수의 개수는?

$$-5,\ -\sqrt{2},\ 0.3,\ \frac{1}{2},\ 5,\ \sqrt{10}$$

① 1개　② 2개
③ 3개　④ 4개

03 다음 중 무리수의 개수는?

$$-3,\ -\sqrt{2},\ 0,\ \sqrt{4},\ \sqrt{5},\ \pi$$

① 1개　② 2개
③ 3개　④ 4개

04 다음 수를 작은 수부터 순서대로 나열할 때, 세 번째 수는?

$$-5,\ 1,\ -3,\ 0,\ 2$$

① -5　② -3
③ 0　④ 1

05 다음 수를 큰 수부터 순서대로 나열할 때, 세 번째 수는?

$$-3,\ -1,\ \frac{1}{2},\ -2,\ 2$$

① -1　② -2

③ $\frac{1}{2}$　④ -3

06 다음 수의 대소관계가 옳은 것은?

① $0 < -1$　② $\frac{3}{2} > 2$

③ $-3 < -1$　④ $-\frac{3}{2} > -1$

07 $(+8)-(-7)$을 계산하면?

① -1　② 1

③ -15　④ 15

08 $(-3)\times(-2)$를 계산하면?

① 6　② -6

③ 5　④ -5

09 다음 중 유한소수가 아닌 것은?

① $\frac{3}{2\times 5}$　② $\frac{1}{2^2}$

③ $\frac{3}{4}$　④ $\frac{1}{12}$

10 순환소수 $0.\dot{3}$을 분수로 바르게 고친 것은?

① $\frac{3}{10}$　② $\frac{3}{5}$

③ $\frac{1}{3}$　④ $\frac{1}{2}$

11 순환소수 $1.012121212\cdots$의 순환마디는?

① 1　② 10

③ 012　④ 12

12 $\sqrt{(-3)^2}$ 의 값은?

① 3　② -3

③ 9　④ -9

13 $\sqrt{4}+\sqrt{9}$ 의 값을 간단히 하면?

① 1　② 2

③ 3　④ 5

14 다음 중 옳은 것은?

① $\sqrt{2}\times\sqrt{3}=\sqrt{6}$　② $\sqrt{5}-\sqrt{2}=\sqrt{3}$

③ $\sqrt{4}+\sqrt{2}=\sqrt{6}$　④ $\sqrt{12}\div\sqrt{6}=2$

15 $\sqrt{12} = a\sqrt{b}$ 로 고치면?

① $2\sqrt{6}$ ② $2\sqrt{3}$
③ $3\sqrt{2}$ ④ $4\sqrt{3}$

16 $2\sqrt{5} = \sqrt{a}$ 로 고치면?

① $\sqrt{10}$ ② $\sqrt{12}$
③ 18 ④ $\sqrt{20}$

17 $2 < \sqrt{3n} < 3$ 을 만족하는 자연수 n 은?

① 1 ② 2
③ 3 ④ 4

18 $4\sqrt{3} + 6\sqrt{3}$ 의 값을 구하면?

① $10\sqrt{6}$ ② $10\sqrt{3}$
③ $24\sqrt{6}$ ④ $24\sqrt{3}$

19 다음 정사각형들 중에서 넓이가 가장 작은 도형의 한 변의 길이는?

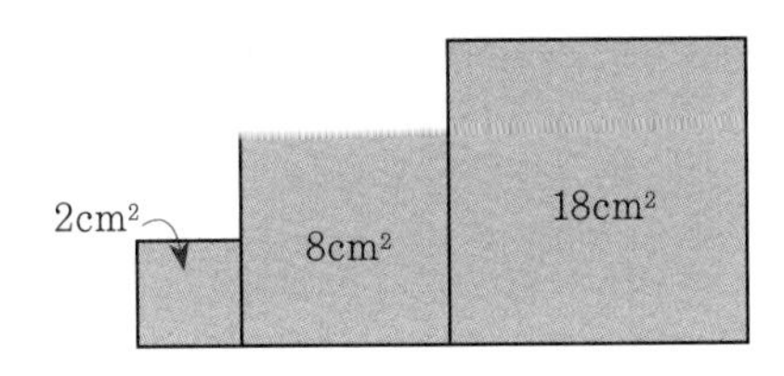

① 1cm
② $\sqrt{2}$ cm
③ $\sqrt{3}$ cm
④ 2cm

20 $\frac{1}{\sqrt{10}}$을 유리화하면?

① $\sqrt{10}$
② $\frac{\sqrt{10}}{10}$
③ $\frac{1}{10}$
④ 10

정답 176쪽

Mathematics

03

문자와 식

03 문자와 식

1 문자와 식

숫자가 아닌 것을 문자(알파벳으로 표현)라 부르며, 문자가 포함된 식이다.

1) (계수) $a^{(\text{차수})}$

[**예시**] 문자 앞에 있는 숫자를 계수라 부르며, 숫자가 안보일시 항상 1이 숨어 있다. 문자 오른쪽 위의 숫자를 차수라 부르며, 역시 숫자가 보이지 않을시 항상 1이 숨어 있다.

2) a(문자)×3(숫자)은 ×(곱하기)를 생략한다.

[**예시**] $a \times 3 = 3a$라 쓰고, 숫자를 항상 먼저 쓴다.

3) a(문자)×b(문자)는 ×(곱하기)를 생략한다.

[**예시**] $a \times b = ab$라 쓰고, 알파벳 순서대로 쓴다.

4) 같은 문자끼리의 곱은 문자를 한 번만 쓴다.

[**예시**] $a \times a = a^2$, 문자 오른쪽 위(차수)에 숫자를 표시한다.

5) 상수는 숫자만 있는 것을 가리키며, 변수가 아닌 정해진 수이다.

● 기본문제1

01 **다음을 계산하시오.**

① $3 \times x$ ② $x \times (-6)$ ③ $1 \times x$ ④ $0 \times x$

⑤ $y \times x$ ⑥ $a \times b \times c$ ⑦ $a \times a \times a$ ⑧ $(-5) \div x$

⑨ $x \div 7$

01. ① $3x$ ② $-6x$ ③ x ④ 0 ⑤ xy

⑥ abc ⑦ a^3 ⑧ $-\frac{5}{x}$ ⑨ $\frac{x}{7}$

2 단항식과 다항식

1) **항** : 곱으로 연결된 상태를 말한다.

[**예시**] $3a$, $5b$, ab, $2ab$, 1, 2, 3 …

숫자 1, 2, 3은 1×1, 1×2, 1×3으로 연결되어 있다고 생각하면 된다.

2) **단항식** : 항이 1개만 있는 것을 단항식이라 한다.

[**예시**] $2a$, abc, 2 …

3) **다항식** : 항이 2개 이상 있는 것을 다항식이라 한다. 그리고, 항을 구분할 때에는 +(플러스), −(마이너스)로 구분한다.

[**예시**] $\underbrace{a+b,\ 2a-3,}_{\text{(항이 2개)}}$ $\underbrace{a^2+3a+2,}_{\text{(항이 3개)}}$ …

4) **다항식의 덧셈과 뺄셈**

· 동류항(문자가 같고 차수가 같은 항)끼리 더하고 뺌.

[**예시**] $a+3a=4a$, $a+b=$계산불가, $a+a^2=$계산불가

동류항이 확인되면, 문자는 계산하지 않고, 반드시 계수로만 계산한다.

● 기본문제2

01 **다음을 계산하시오.**

① $x+x+x$ ② $2y+5y$ ③ $4c-6c$

④ $-3a+5a$ ⑤ $s+1+2s+3$ ⑥ $2t+3+4t-3$

02 다음을 계산하시오.

① $(2x-3)+(x-2)$　　② $(3y+5)+(y-3)$

③ $(x-2)-(2x+1)$　　④ $(3a+2b)-(a-b)$

03 다음을 계산하시오.

① $2(x+1)+(x-4)$　　② $(y+3)+2(y-1)$

③ $3(a+1)-(a+1)$　　④ $(b+2)-2(b-1)$

01. ① $3x$　② $7y$　③ $-2c$　④ $2a$
⑤ $3s+4$　⑥ $6t$

02. ① $3x-5$　② $4y+2$　③ $-x-3$　④ $2a+3b$

03. ① $3x-2$　② $3y+1$　③ $2a+2$　④ $-b+4$

3 다항식의 곱셈

1) 괄호와 괄호 사이에는 곱하기가 생략되어 있다.

[**예시**] $(\quad)\times(\quad) \Rightarrow (\quad)(\quad)$, $2\times(\quad) \Rightarrow 2(\quad)$

2) **전개**

다항식끼리의 곱셈을 전개라 부른다.

3) **분배법칙**

· 하나하나 구분해서 곱하는 것을 말한다.

[**예시**] $2(a+b)=2a+2b$, $(a+b)(c+d)=ac+ad+bc+bd$

4) **곱셈 공식**

· 때에 따라서는 분배법칙을 해주어야 할 때가 있지만, 특정 경우에서는 번거로운 분배법칙이 아닌, 곱셈 공식에 의해서 전개해준다.

[**예시1**] $(a+b)^2=a^2+2ab+b^2$

$(a-b)^2=a^2-2ab+b^2$

위 2개의 전개방법을 '완전제곱식'이라 부른다.

[**예시2**] $(a+b)(a-b)=a^2-b^2$

위 전개 방법을 '합차 공식'이라 부른다.

[**예시3**] $(x+a)(x+b)=x^2+(a+b)x+ab$

위 전개 방법을 '합곱 공식'이라 부른다.

[**예시4**] $(ax+b)(cx+d)=acx^2+(ad+bc)x+bd$

● 기본문제3

01 다음을 전개하시오.

① $(x+1)^2$ ② $(a+3)^2$ ③ $(y+5)^2$

④ $(x-1)^2$ ⑤ $(a-3)^2$ ⑥ $(y-5)^2$

02 다음을 전개하시오.

① $(x+1)(x-1)$ ② $(x+2)(x-2)$ ③ $(y-3)(y+3)$

④ $(y-5)(y+5)$ ⑤ $(2a+1)(2a-1)$ ⑥ $(3a-1)(3a+1)$

03 다음을 전개하시오.

① $(x+1)(x+3)$ ② $(x+2)(x-3)$ ③ $(y-2)(y-1)$

④ $(y-2)(y+3)$ ⑤ $(a+2)(a-1)$ ⑥ $(a-5)(a+3)$

01. ① x^2+2x+1　② a^2+6a+9　③ $y^2+10y+25$
　④ x^2-2x+1　⑤ a^2-6a+9　⑥ $y^2-10y+25$

02. ① x^2-1　② x^2-4　③ y^2-9
　④ y^2-25　⑤ $4a^2-1$　⑥ $9a^2-1$

03. ① x^2+4x+3　② x^2-x-6　③ y^2-3y+2
　④ y^2+y-6　⑤ a^2+a-2　⑥ $a^2-2a-15$

4 지수법칙

$a>0$, $b>0$이고, m과 n이 자연수일 때, 다음 법칙이 성립한다.
(a를 밑이라 부르고, m, n을 지수라 부른다.)

1) $a^m \times a^n = a^{m+n}$

2) $a^m \div a^n =$
- $m>n$일 때, a^{m-n}
- $m=n$일 때, $a^0=1$
- $m<n$일 때, $\frac{1}{a^{n-m}}$

3) $(a^m)^n = a^{m\times n}$

4) $(ab)^m = a^m b^m$

5) $\left(\frac{b}{a}\right)^m = \frac{b^m}{a^m}$

● 기본문제4

01 다음 식을 간단히 하시오.

① $x\times x\times x$　② $x^3\times x^3$　③ $(x^2)^3$

④ $y^6 \div y^2$　　⑤ $(xy^2)^3$　　⑥ $(y^2)^2 \times (y)^3$

⑦ $(a^2)^3 \div a^2$　　⑧ $(a^2b^3)^2$　　⑨ $(-ab^2)^3$

02

다음 $7^3 \times 7^4 \div 7^2$ 을 간단히 하면?

03

3^0 의 값은?

01. ① x^3　　② x^6　　③ x^6

④ y^4　　⑤ x^3y^6　　⑥ y^7

⑦ a^4　　⑧ a^4b^6　　⑨ $-a^3b^6$

02. 7^5　　03. 1

5 인수분해

전개된 식을 원래대로 곱의 꼴인 괄호로써 되돌려 놓는 것을 말한다.

1) 항이 2개 있는 경우

[**예시**] 공통 인수로 인수분해하는 경우,

$a^2 + 2a = a(a + 2)$, $a^2 - a = a(a - 1)$

합차 공식으로 인수분해하는 경우,

$a^2 - 4 = (a + 2)(a - 2)$, $a^2 - 16 = (a - 4)(a + 4)$

2) 항이 3개 있는 경우

[**예시1**] $a^2 + 3a + 2 = (a + 2)(a + 1)$

위 다항식은 곱셈 공식 중에서 합곱 공식으로 인수분해 되는 것으로, 상수 2는 두 수(2, 1)가 곱해져서 나온 것이다. (2×1), 그리고 a의 계수 3은 곱해져서 나온 두 수(2, 1)가 더해져서 나온 것이다. $(2 + 1)$

[**예시2**] $a^2 + 4a + 4 = (a + 2)(a + 2) = (a + 2)^2$

$a^2 - 6a + 9 = (a - 3)(a - 3) = (a - 3)^2$

위 다항식은 완전제곱식으로 인수분해 된 것으로, 상수 4와 9는 2^2, 3^2 이다.

● 기본문제5

01 **다음을 인수분해하시오.**

① $x^2 + 3x$ ② $x^2 - 5x$ ③ $y^2 - y$

④ $2y^2 + 3y$　　⑤ $x^2 - 1$　　⑥ $x^2 - 9$

⑦ $y^2 - 4$　　⑧ $y^2 - 16$

02

다음을 인수분해하시오.

① $x^2 + 6x + 5$　　② $x^2 - 3x - 10$　　③ $y^2 + 4y - 12$

④ $y^2 + 3y + 2$　　⑤ $a^2 - 2a + 1$　　⑥ $a^2 + 4a + 4$

정답

01. ① $x(x + 3)$　　② $x(x - 5)$　　③ $y(y - 1)$

④ $y(2y + 3)$　　⑤ $(x + 1)(x - 1)$　　⑥ $(x + 3)(x - 3)$

⑦ $(y + 2)(y - 2)$　　⑧ $(y + 4)(y - 4)$

02. ① $(x + 1)(x + 5)$　　② $(x - 5)(x + 2)$　　③ $(y + 6)(y - 2)$

④ $(y + 1)(y + 2)$　　⑤ $(a - 1)^2$　　⑥ $(a + 2)^2$

6 식의 값

보통 문자는 미지수이다. 따라서 미지수를 알게 되면 미지수를 대입하여 식을 구한다.

[예시1] $x = 3$일 때, $2x + 1$을 구하면, $2 \times 3 + 1 = 6 + 1 = 7$이 된다.

[예시2] $x = 1$, $y = 2$일 때, $x - 3y$를 구하면 $1 - 3 \times 2 = 1 - 6 = -5$가 된다.

● 기본문제6

01 $x = 2$일 때, 다음을 계산하시오.

① $x + 1$　　② $2x + 1$

③ $x^2 + x - 2$　　④ $-x - 3$

02 $x = 2$, $y = 3$일 때, 다음을 계산하시오.

① $x + y$　　② $x + 2y$

③ $x - 2y$　　④ $2x - 3y$

01. ① 3　② 5　③ 4　④ -5

02. ① 5　② 8　③ -4　④ -5

Exercises 3

01 $(x+3)+(2x-1)$을 계산하면?

① $3x+2$　② $x-2$
③ $-x+4$　④ $x-4$

02 $(x+1)(x+6)$을 전개하면?

① x^2+x+6　② x^2+7x+6
③ x^2+6x+6　④ x^2+6x+7

03 다항식 $(x+5)^2$을 전개하면?

① $x^2+10x+25$　② $x^2+5x+25$
③ x^2+25　④ $x^2+5x+10$

04 x^2-5x+6을 인수분해하면?

① $(x+2)(x-3)$　② $(x-3)(x-2)$
③ $(x-6)(x+1)$　④ $(x+6)(x-1)$

05 x^2+2x+1을 인수분해하면?

① $(x+1)^2$　② $(x+1)(x+2)$
③ $(x-1)^2$　④ $(x+1)(x-2)$

06

x^2-4를 인수분해하면?

① $(x+2)(x-4)$ ② $(x+2)(x-2)$

③ $(x+2)^2$ ④ $(x-2)^2$

07

다음 도형의 색칠한 부분의 직사각형의 넓이는?

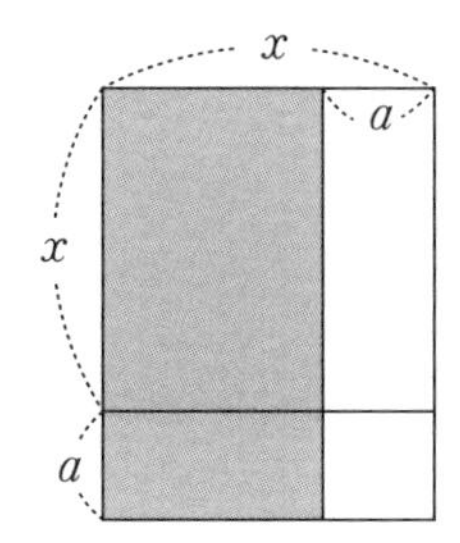

① $(x+a)^2$ ② $(x-a)^2$

③ $(x-a)(x+a)$ ④ $2x+2a$

08

$a^7 \times a^5 \div a^6$을 계산하면?

① a^6 ② a^{30}

③ a ④ a^3

09

$x=3$일 때, $2x+3$을 구하면?

① 7 ② 8

③ 9 ④ 10

정답 176쪽

Mathematics

04

방정식과 부등식

04 방정식과 부등식

1 일차방정식

1) **방정식** : 미지수 x의 값에 따라 참 또는 거짓이 되는 식

2) **방정식의 해** : 등호가 참이 되는 미지수의 값을 '해' 또는 '근'이라 하고, 방정식의 해를 모두 구하는 것을 '방정식을 푼다'라고 말한다.

[예시] $x+1=3$, $2x-3=5$, $x^2+3x+2=0$ …

3) **항등식** : 미지수 x(문자가 꼭 x가 아니어도 된다.)의 값에 상관없이 등호가 항상 성립하는 식

[예시] $2x+4=2(x+2)$, $1+3=4$, …

4) **일차방정식** : 미지수 x의 차수가 1인 방정식을 일차방정식이라 하며, 보통 등호(=)를 만족하는 x값은 한 개가 나온다.

5) **푸는 방법** : 등호(=)를 기준으로 좌변은 미지수, 우변은 상수로 만들어 해를 구한다.

[예시1] $x+2=3$에서 우리가 알고 싶은 것은 x값이다. 원론적인 방법은 양변에 공평하게 똑같이 -2를 해주는 것이다. 그래야 좌변에 x만 남을 테니까.

$$x+2-2=3-2 \text{ 따라서 } x=1$$

하지만, 매번 이렇게 하기는 번거롭기 때문에 좌변에만 남겨놓고 상수를 우변으로 이항시킨다, 그리고, 이항시키기 전의 부호를 반대로 해주기만 하면 된다.

$$x+2=3 \Rightarrow x=3-2 \Rightarrow x=1$$

[예시2] $2x+1=3 \Rightarrow 2x=3-1 \Rightarrow 2x=2 \Rightarrow x=1$

(x의 계수가 1이 아니면 x의 계수로 양변을 나누어 준다.)

● 기본문제1

01 다음 일차방정식을 풀으시오.

① $x + 1 = 3$　② $x - 1 = 5$　③ $5 + y = 3$

④ $3y = 18$　⑤ $a + 2 = 4$　⑥ $4a = 12$

⑦ $-7b = -28$　⑧ $4b = -16$

02 다음 일차방정식을 풀으시오.

① $2x + 1 = 9$　② $5x - 4 = 11$　③ $-2y + 8 = 2$

④ $3y - 3 = 6$　⑤ $4a - 1 = 7$　⑥ $9a - 4 = 5$

⑦ $3b - 3 = -3$　⑧ $2b - 3 = b - 1$

01. ① $x = 2$　② $x = 6$　③ $y = -2$　④ $y = 6$
⑤ $a = 2$　⑥ $a = 3$　⑦ $b = 4$　⑧ $b = -4$

02. ① $x = 4$　② $x = 3$　③ $y = 3$　④ $y = 3$
⑤ $a = 2$　⑥ $a = 1$　⑦ $b = 0$　⑧ $b = 2$

2 연립 일차방정식

· 미지수 x, y가 나오는 방정식으로, 식이 두 개가 있는 방정식이다. 왜냐하면 식이 하나인데, 미지수가 두 개이면 원하는 값을 구할 수 없기 때문이다.

$x+y=2$라는 식을 만족하는 x값, y값은 무수히 많다. 물론 자연수라고 범위를 한정해주면 얘기가 달라지겠지만, 특별히 그럴 이유가 없다.

$x=1$, $y=1$도 정답이 될 수 있고, $x=0$, $y=2$도 답이 될 수 있다. 따라서 문자가 2개이면 식이 2개가 필요하고, 동시에 만족하는 x값, y값을 구하는 것이 연립방정식이다.

예 $\begin{cases} x+y=1 \cdots\cdots ① \\ x-y=3 \cdots\cdots ② \end{cases}$ 에서 ①번 식을 만족하는 미지수값이 $x=1$, $y=0$이면 해결되지만, 동시에 ②번 식에는 성립하지 않는다. $1-0 \neq 3$

1) 가감법

두 식을 더하고 빼는 방법으로 두 문자 중 어느 한 문자를 소거해서 미지수값을 구하는 방법이다.

예 $\begin{cases} x+y=1 \cdots\cdots ① \\ x-y=3 \cdots\cdots ② \end{cases}$ 두 식을 더하면 $2x=4 \Rightarrow x=2$가 되고,

나온 값을 원하는 식에 대입하면 y값을 구할 수 있다.

①번 식에 대입하면

$2+y=1$이므로 따라서 $y=-1$을 얻을 수 있게 된다.

2) 대입법

· 두 식에서 어느 한 식을 선택하여 x 또는 y에 대해서 정리해준 다음 그 값을 다른 식에 대입해주는 것이다.

예 $\begin{cases} x+y=1 \cdots\cdots ① \\ x-y=3 \cdots\cdots ② \end{cases}$ ①번 식에서 x에 대해서 정리해주면, $x=1-y$

가 된다. 이 x값을 ②번 식 $x-y=3$에 대입하면, $1-y-y=3$에서 $1-2y=3 \Rightarrow -2y=2 \Rightarrow y=-1$을 얻을 수 있고, $y=-1$을 $x=1-y$에 대입하면 $x=2$라는 것을 알 수 있다.

● 기본문제2

01 **다음 연립방정식을 풀으시오.**

① $\begin{cases} x + y = 4 \\ x - y = 6 \end{cases}$ ② $\begin{cases} x + 2y = 5 \\ 2x - 2y = 7 \end{cases}$

③ $\begin{cases} 2a + b = 7 \\ a - b = 2 \end{cases}$ ④ $\begin{cases} 2a - b = 12 \\ 2a + 3b = -4 \end{cases}$

02 **다음 연립방정식을 풀으시오.**

① $\begin{cases} 2x + 2y = 2 \\ x - y = 5 \end{cases}$ ② $\begin{cases} a + b = 8 \\ a = b + 2 \end{cases}$

③ $\begin{cases} 2x + 3y = -8 \\ 3x - y = -1 \end{cases}$ ④ $\begin{cases} b = a + 1 \\ a + b = 7 \end{cases}$

01. ① $x = 5,\ y = -1$ ② $x = 4,\ y = \frac{1}{2}$

③ $a = 3,\ b = 1$ ④ $a = 4,\ b = -4$

02. ① $x = 3,\ y = -2$ ② $a = 5,\ b = 3$

③ $x = -1,\ y = -2$ ④ $a = 3,\ b = 4$

3 부등식

부등호를 사용하여 두 수 또는 식의 대소관계를 나타낸 식

- 좌변 : 부등식에서 부등호의 왼쪽 부분
- 우변 : 부등식에서 부등호의 오른쪽 부분
- 부등식의 해 : 부등식을 참이 되게 하는 문자의 값
- 부등식을 푼다 : 부등식의 해를 구하는 것

1) 부등식의 성질

- 부등식의 양변에 같은 수를 더하거나 빼도 부등호의 방향은 바뀌지 않는다.
  $a < b$ 이면, $a + c < b + c$, $a - c < b - c$
- 부등식의 양변에 같은 양수를 곱하거나 나누어도 부등호의 방향은 바뀌지 않는다.
  $a < b$이고 $c > 0$이면, $ac < bc$, $\frac{a}{c} < \frac{b}{c}$
- 부등식의 양변에 같은 음수를 곱하거나 나누면 부등호의 방향은 바뀐다.
  $a < b$이고 $c < 0$이면, $ac > bc$, $\frac{a}{c} > \frac{b}{c}$
- 부등식의 해를 수직선 위에 나타내기

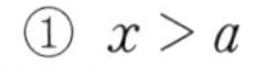

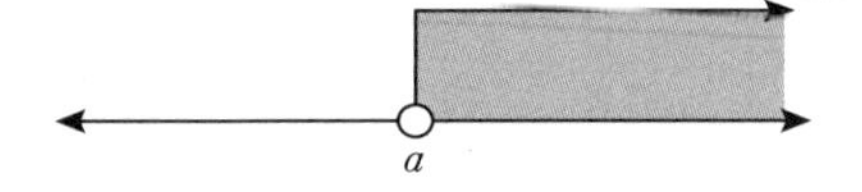

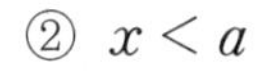

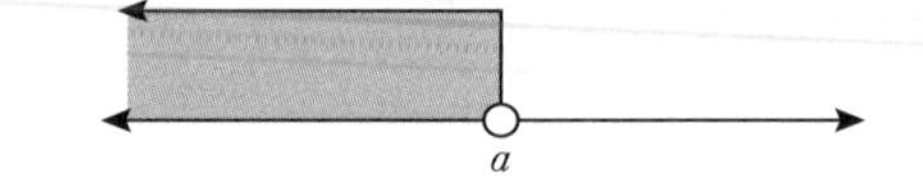

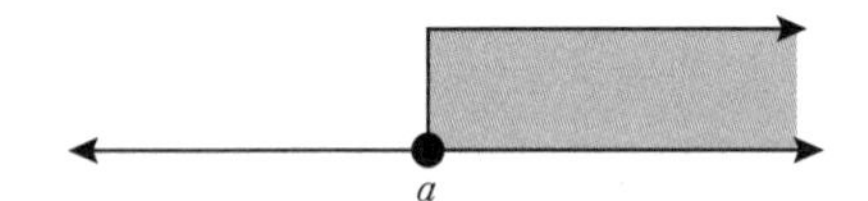

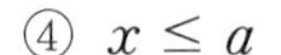

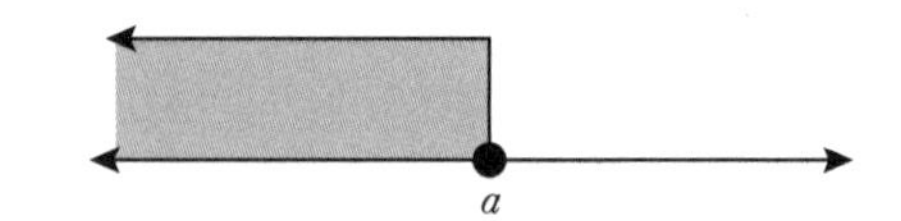

2) 푸는 방법

- 일차방정식과 거의 똑같고, 다만, 계산 마지막 과정에서 미지수의 계수가 음수라서 음수로 나눌 때에는 부등호의 방향이 바뀐다.
  예 $-2x \leq 4 \Rightarrow x \geq -2$

● 기본문제3

01 $a > b$일 때, 다음 □ 안에 알맞은 부등호를 써 넣으시오.

① $a + 3 \square b + 3$　　② $a - 4 \square b - 4$

③ $a \times (-5) \square b \times (-5)$　　④ $a \div 6 \square b \div 6$

02 다음 일차부등식을 풀으시오.

① $x + 1 > 6$　　② $2 + x \geq 1$　　③ $2y > 4$

④ $3y \leq -15$　　⑤ $2a + 3 < 7$　　⑥ $3a - 10 > -1$

⑦ $4b + 1 \geq -11$　　⑧ $-b + 3 \leq 2$

03 다음 일차부등식을 풀으시오.

① $4x - 3 > x - 6$　　② $3y + 2 \geq 2y - 7$

③ $a - 3 > 3a + 5$　　④ $-6b + 5 > -b - 5$

04 다음 부등식을 풀고, 해를 수직선 위에 표시하시오.

① $x+3>5$

−3 −2 −1 0 1 2 3

② $2x+1<-1$

−3 −2 −1 0 1 2 3

③ $-3x \geq 18$

−8 −7 −6 −5 −4 −3 −2

④ $x+7 \leq 2x$

4 5 6 7 8 9 10

정답

01. ① $>$ ② $>$ ③ $<$ ④ $>$

02. ① $x>5$ ② $x \geq -1$ ③ $y>2$ ④ $y \leq -5$
⑤ $a<2$ ⑥ $a>3$ ⑦ $b \geq -3$ ⑧ $b \geq 1$

03. ① $x>-1$ ② $y \geq -9$ ③ $a<-4$ ④ $b<2$

04. ① $x>2$

−3 −2 −1 0 1 2 3

② $x<-1$

−3 −2 −1 0 1 2 3

③ $x \leq -6$

−8 −7 −6 −5 −4 −3 −2

④ $x \geq 7$

4 5 6 7 8 9 10

4 이차방정식

· 차수가 2인 방정식을 이차방정식이라 부르며, 차수가 2이기 때문에 보통 만족하는 x값이 2개가 나오는 것이 특징이다.

예 $x^2+5x+6=0$, $x^2-x-2=0$ …
위 식을 보면 다항식을 인수분해 하기 전과 비슷해 보인다. 단지 등호(=)가 있을 뿐이다. 해석을 해보면 대체 x값에 무얼 집어넣어야 0이 나오는가. 그걸 만족하는 x의 값 2개가 뭐냐!! 이다.

1) 푸는 방법

· 인수분해를 할 수 있으면 아주 쉬운 문제이지만, 인수분해가 무엇인지 모르면, 다시 인수분해 파트에 가서 인수분해를 철저히 공부하도록 한다.
아래 [예시]에서 상세히 설명했으므로 참고하도록 한다.

[예시]

$x^2-x-2=0 \Rightarrow (x-2)(x+1)=0$

$x-2=0$ 또는 $x+1=0$에서 $x=2$ 또는 $x=-1$
위 식 $x^2-x-2=0$에서 상수 -2는 2×-1 또는 -2×1 둘 중에 하나이다. 그런데, $-$(마이너스) 부호를 어느 숫자에게 주어야 하는지가 문제인데, x의 계수가 음수이면 큰 수가 음수가 된다. 물론 x의 계수가 양수이면 큰 수가 양수가 된다. 결론은 일반적으로 큰 수가 부호를 다 가져간다. 위 예시에서는 -2×1이 되며, $-2+1=-1$이므로 인수분해는 $(x-2)(x+1)=0$이 된다.
두 괄호의 곱이 0이 된다는 것은 둘 중에 하나가 0이 되면 된다.
그래서 $x-2=0$ 또는 $x+1=0$이라고 쓸 수 있는 것이다.

2) 근과 계수와의 관계

· 이차방정식 $ax^2+bx+c=0\ (a\neq0)$일 때,

두 근의 합 $\Rightarrow -\dfrac{b}{a}$

두 근의 곱 $\Rightarrow \dfrac{c}{a}$

● 기본문제4

01 **다음 이차방정식을 풀으시오.**

① $x^2 + 4x = 0$　　② $x^2 + 4x - 21 = 0$

③ $x^2 - 2x - 15 = 0$　　④ $x^2 - 4x + 4 = 0$

⑤ $x^2 - 4 = 0$　　⑥ $(x - 3)(x + 1) = 0$

02 **이차방정식 $(x + 3)(x - 2) = 0$의 한 근이 -3일 때, 다른 한 근은?**

03 **이차방정식의 두 근을 α, β라 할 때 두 근의 합과 곱을 구하시오.**

① $x^2 - 3x + 1 = 0$　　② $x^2 - 5x + 1 = 0$

③ $x^2 + 3x - 4 = 0$　　④ $x^2 + x - 3 = 0$

01. ① $x = -4$ 또는 $x = 0$　② $x = -7$ 또는 $x = 3$　③ $x = -3$ 또는 $x = 5$
④ $x = 2$(중근)　⑤ $x = -2$ 또는 $x = 2$　⑥ $x = -1$ 또는 $x = 3$

02. 2

03. ① $\alpha + \beta = 3,\ \alpha\beta = 1$　② $\alpha + \beta = 5,\ \alpha\beta = 1$
③ $\alpha + \beta = -3,\ \alpha\beta = -4$　④ $\alpha + \beta = -1,\ \alpha\beta = -3$

Exercises 4

단원문제 4

01 일차방정식 $x+1=3x-5$를 풀면?

① $x=2$　② $x=3$　③ $x=4$　④ $x=6$

02 어른 입장료가 청소년 입장료의 2배인 박물관이 있다. 어른 2명과 청소년 1명의 입장료의 합이 12,500원일 때, 청소년 1명의 입장료는?

① 1,500원　② 2,500원　③ 3,500원　④ 5,000원

03 연립방정식 $\begin{cases} x+3y=9 \\ x-3y=-3 \end{cases}$의 해는?

① $x=2,\ y=-1$　② $x=-2,\ y=1$　③ $x=-3,\ y=2$　④ $x=3,\ y=2$

04 일차부등식 $2x+4>0$을 풀면?

① $x<-2$　② $x>-2$　③ $x<2$　④ $x>2$

05 다음 중 문장을 부등식으로 나타낸 것으로 옳지 않은 것은?

① x에서 3을 뺀 수는 x의 4배보다 작다. ⇒ $x-3<4x$

② x와 8의 합은 10미만이다. ⇒ $x+8<10$

③ x의 3배에서 5를 뺀 수는 -2이상이다. ⇒ $3x-5\geq-2$

④ x에서 1을 뺀 수는 8초과이다. ⇒ $x-1\geq8$

06 $a > b$일 때, □ 인에 들어갈 부등호의 방향이 다른 하나는?

① $a + 8$ □ $b + 8$
② $-a + 9$ □ $-b + 9$
③ $-a \div (-6)$ □ $-b \div (-6)$
④ $a \times 3$ □ $b \times 3$

07 다음 그림이 나타내는 x의 값의 범위가 해인 부등식을 고르면?

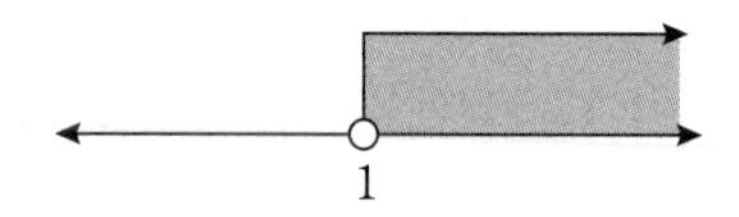

① $3x - x \geq 2$
② $5 + 4x > 1$
③ $7x < 3 + 4x$
④ $3 - 2x < 2 - x$

08 이차방정식 $x^2 - 2x - 8 = 0$의 해를 구하면?

① $x = -2$ 또는 $x = 4$
② $x = 2$ 또는 $x = 4$
③ $x = 2$ 또는 $x = -4$
④ $x = -2$ 또는 $x = -4$

09 이차방정식 $(x - 2)(x - 4) = 0$의 두 근의 합은?

① 6
② -6
③ 8
④ -8

10 이차방정식 $x^2 + 3x - 10 = 0$의 두 해를 m, n이라 할 때, mn의 값은?

① 3
② -3
③ 10
④ -10

정답 176쪽

Mathematics

05

함수

05 함수

1 좌표평면과 그래프

1) **좌표** : 수직선 위의 한 점에 대응하는 수

2) 수직선에서 수 -5가 점 A의 좌표일 때, 기호 $A(-5)$로 나타낸다.

3) **원점** : 좌표가 0인 점을 기호 $O(0)$으로 나타낸다.

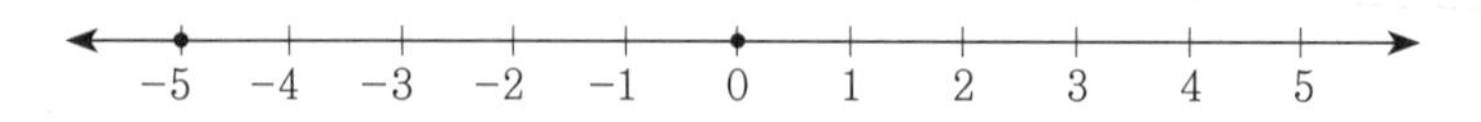

4) **순서쌍** : 두 수나 문자의 순서를 정하여 짝을 지어 나타낸 것

5) **좌표평면** : 가로의 수직선을 X축, 세로의 수직선을 Y축으로 정하고, X축과 Y축이 만나는 교점을 원점으로 하는 평면

6) **사분면** : 좌표평면에서 오른쪽 위부터 시계 반대 방향으로 제1사분면, 제2사분면, 제3사분면, 제4사분면으로 4개의 면으로 나뉘어진 면

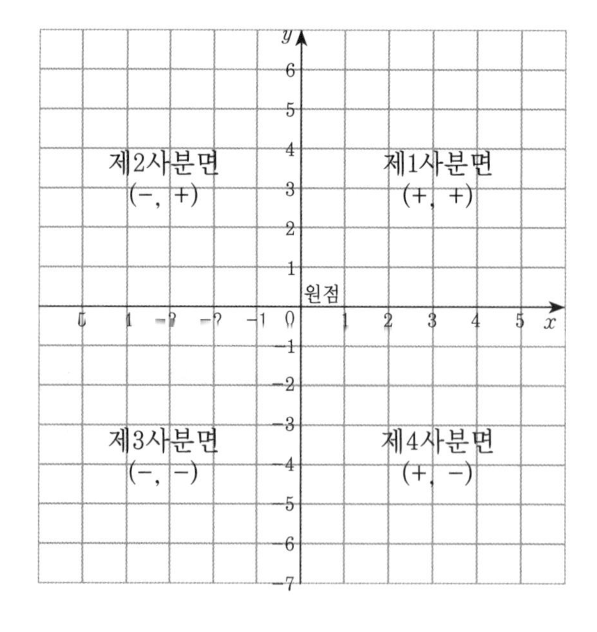

● 기본문제1

01 다음 점들을 오른쪽 좌표평면 위에 나타내시오.

A$(-1,\ 2)$
B$(3,\ 3)$
C$(3,\ -2)$
D$(-2,\ -3)$

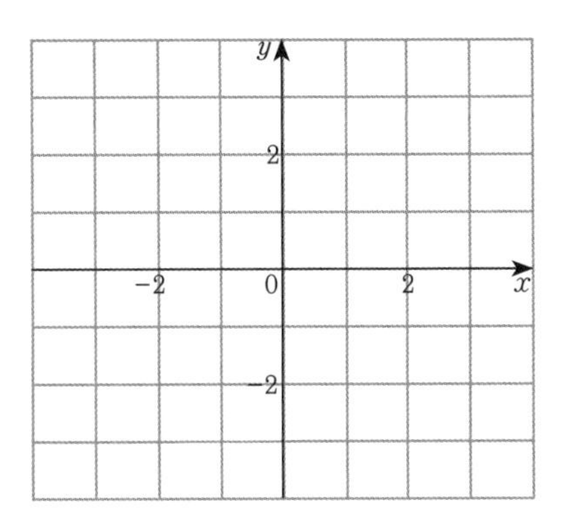

02 좌표평면에서 제3사분면에 있는 점의 좌표는?

① $(-1,\ -2)$　② $(-5,\ 6)$
③ $(5,\ 8)$　④ $(4,\ -3)$

03 다음 좌표평면 위의 점 P, Q, R, S의 좌표를 기호로 나타내시오.

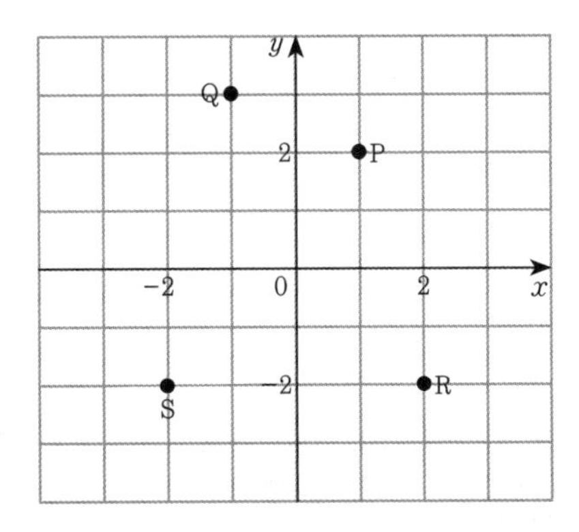

04

다음 점은 각각 제 몇 사분면 또는 무슨 축 위의 점인지 쓰시오.

① A(1, 3)　　② B(−3, 5)　　③ C(5, −6)

④ D(−3, −8)　　⑤ E(1, 0)　　⑥ F(0, 3)

정답

01.

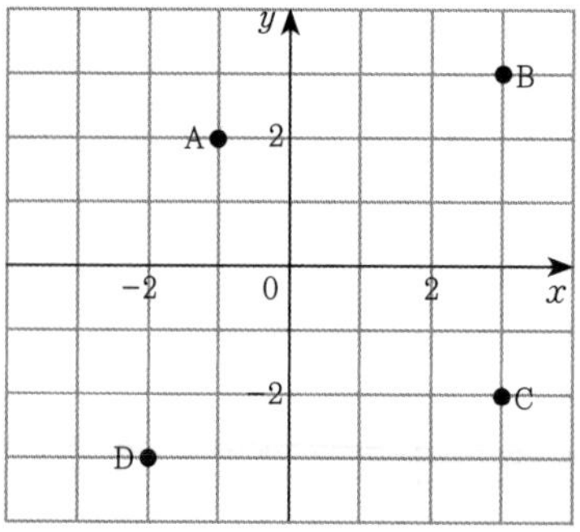

02. ①

03. P(1, 2), Q(−1, 3), R(2, −2), S(−2, −2)

04. ① 제1사분면　② 제2사분면　③ 제4사분면
④ 제3사분면　⑤ x축 위　⑥ y축 위

2 정비례와 반비례

1) **정비례** : 두 변수 x와 y사이에 x값이 2배, 3배, 4배, … 가 될 때, y값도 2배, 3배, 4배, …가 되는 관계
2) **정비례 관계식** : $y = ax\,(a \neq 0)$
3) **정비례의 성질** : y가 x에 정비례할 때, x값에 대한 y값의 비 $\frac{y}{x}\,(x \neq 0)$의 값은 항상 a로 일정하다. $y = ax \rightarrow \frac{y}{x} = a$(일정)
4) **정비례 관계의 그래프** : x값의 범위가 수 전체일 때, 정비례 관계 함수는 원점을 지나는 직선이다.
5) $y = ax\,(a \neq 0)$**의 그래프**
   - 원점(0, 0)을 지나는 직선이다.
   - $a > 0$이면 제 1, 3 사분면을 지난다.(증가)
   - $a < 0$이면 제 2, 4 사분면을 지난다.(감소)

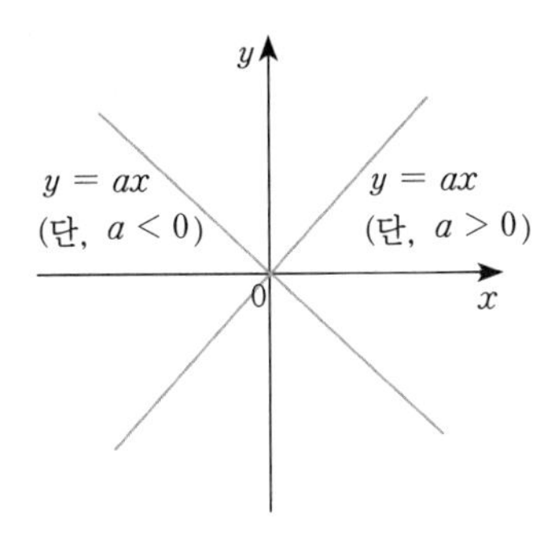

6) **반비례** : 두 변수 x와 y사이에 x값이 2배, 3배, 4배, … 가 될 때, y값은 $\frac{1}{2}$배, $\frac{1}{3}$배, $\frac{1}{4}$배, …가 되는 관계
7) **반비례 관계식** : $y = \frac{k}{x}\,(k \neq 0)$
8) **반비례의 성질** : y가 x에 반비례할 때, xy값은 항상 k로 일정하다.
9) **반비례 관계의 그래프** : x값이 0이 아닌 수 전체일 때, 좌표축에 한없이 가까워지는 쌍곡선이다.

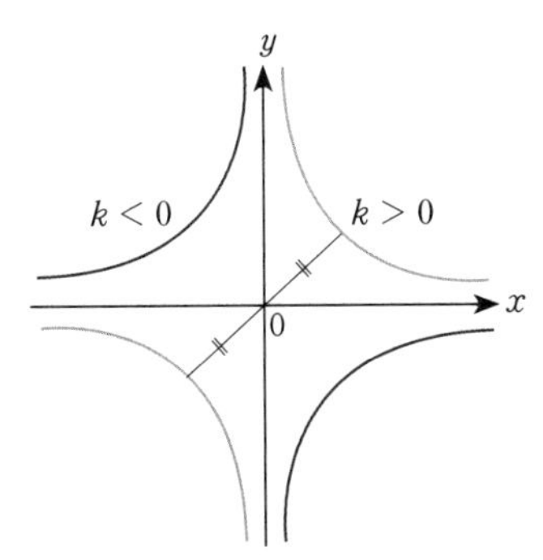

● 기본문제2

01 정의역이 수 전체일 때, 함수 $y = x$의 그래프를 그려보시오.

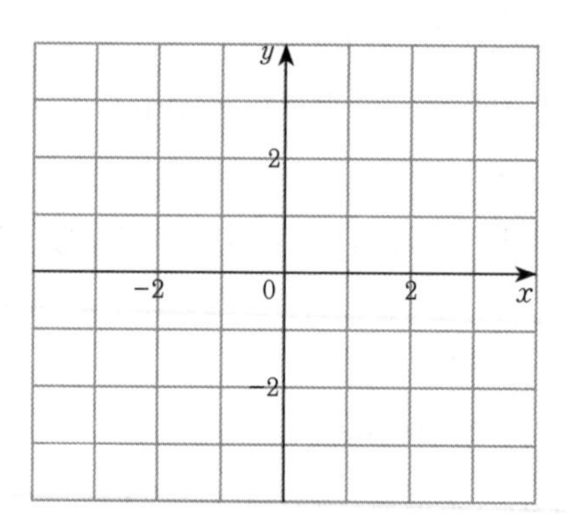

02 정의역이 수 전체일 때, 함수 $y = -x$의 그래프를 그려보시오.

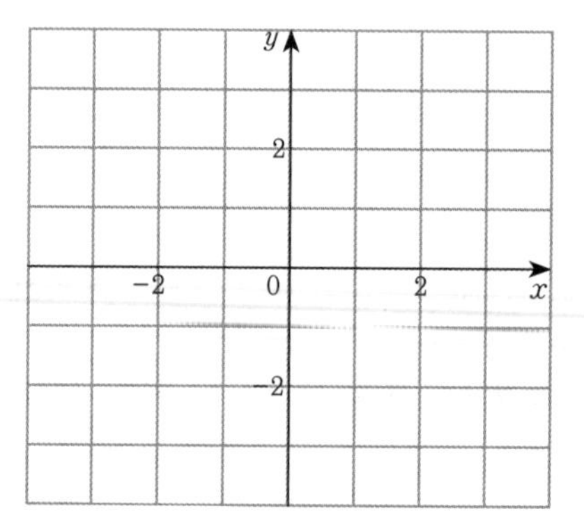

03 정의역이 수 전체일 때, 함수 $y = \frac{4}{x}$의 그래프를 그려보시오.

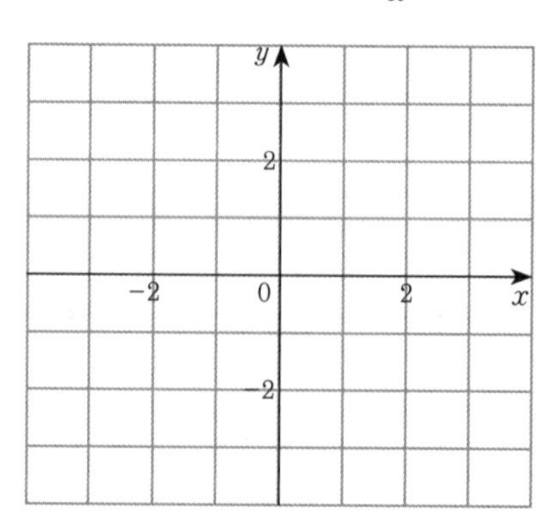

04 정의역이 수 전체일 때, 함수 $y = -\frac{4}{x}$의 그래프를 그려보시오.

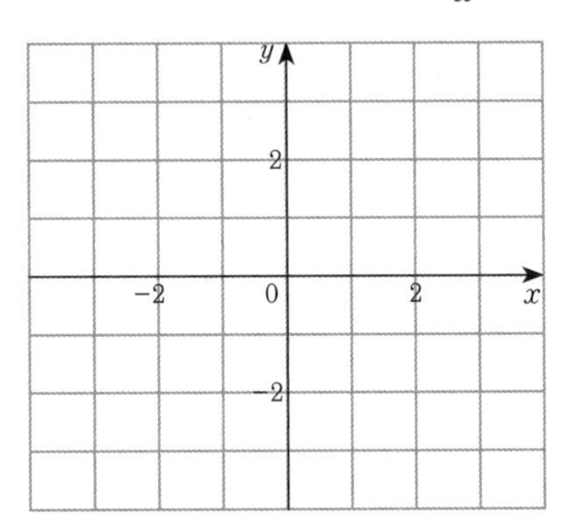

05 함수 $y = ax$의 그래프가 점 (2, 6)을 지날 때, 상수 a의 값을 구하여라.

06 매월 5만원 씩 x개월 동안 저축한 총 금액을 y만원이라고 할 때, x와 y사이의 관계식은?

x(개월)	1	2	3	4	…
y(만원)	5	10	15	20	…

① $y = 3x$
② $y = 4x$
③ $y = 5x$
④ $y = 6x$

07 매분 5L씩 물을 넣으면 60분 만에 가득 차는 물통이 있다. 이 물통을 50분 만에 가득 채우려면 매분 몇 L씩 물을 넣어야 하는가?

① 6L
② 7L
③ 8L
④ 9L

01.

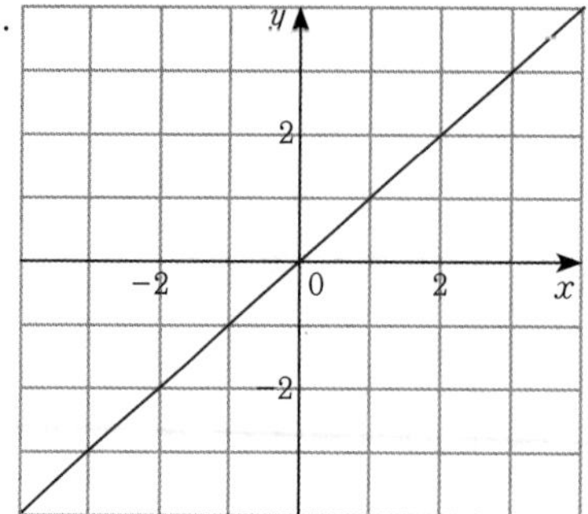

02.

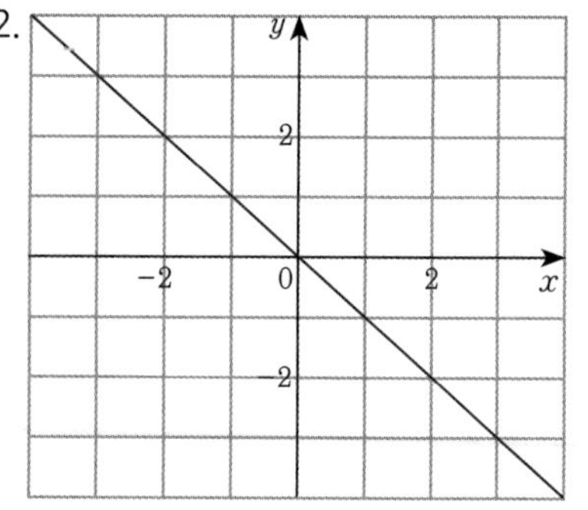

03.

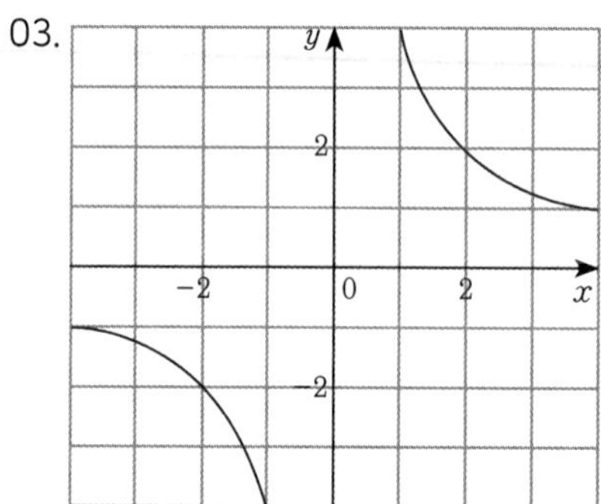

04.

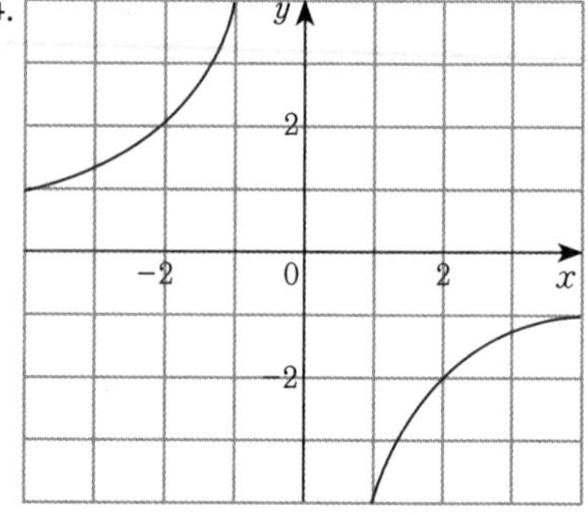

05. $a = 3$

06. ③

07. ①

3 일차함수

1) **함수** : x값 한 개를 대입했을 때, 단 한 개의 y값이 나오는 것을 말한다.

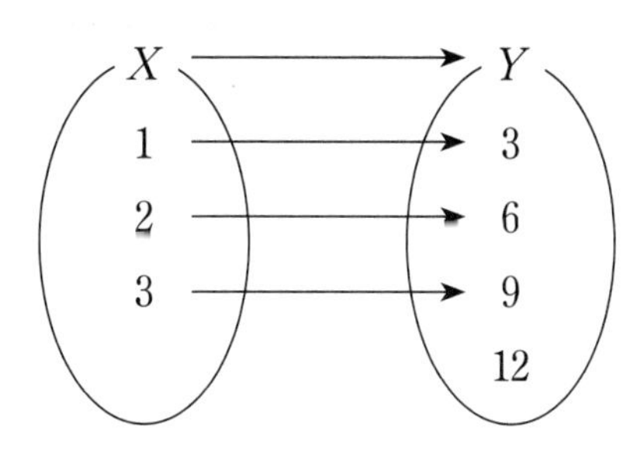

⇒ 정의역 $\{1, 2, 3\}$, 공역 $\{3, 6, 9, 12\}$, 치역 $\{3, 6, 9\}$

⇒ $f(x) = 3x$ 에서 $f(1) = 3, f(2) = 6, f(3) = 9$

2) **수식** : $y = f(x)$이며, $y = ax + b$ 의 형태로 식을 표현한다.

3) **기울기** : $\dfrac{y\text{증가량}}{x\text{증가량}}$

4) **두 직선의 위치 관계**

ⓐ 평행 : 두 직선이 평행한 것을 말하며, 평행하다는 것은 기울기가 같다는 뜻이다.

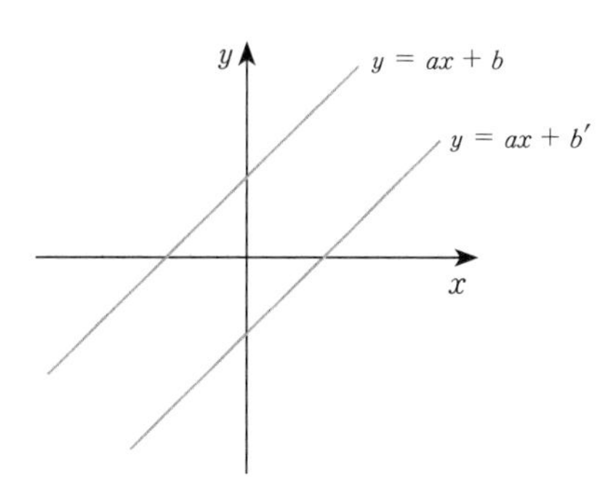

ⓑ 수직 : 두 직선이 교차했을 때, 직각이 생기는 경우를 뜻하며, 그럴 경우 두 직선의 기울기의 곱은 언제나 -1이 된다.

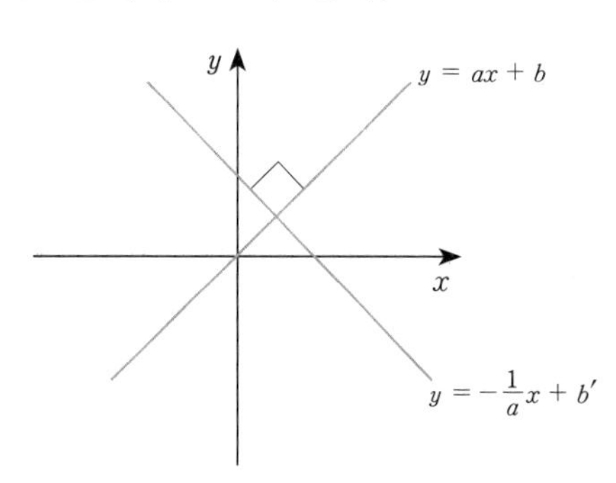

● 기본문제3

01 다음 그림에서 세 직선 l, m, n의 x절편을 차례로 구하여라.

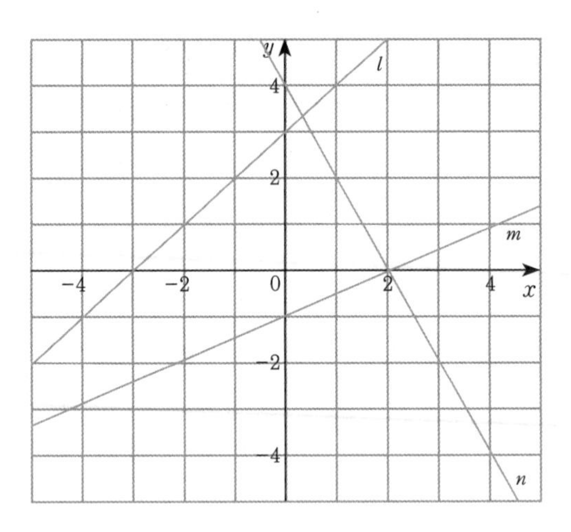

02 다음 두 점 (2, 4), (10, 7)을 지나는 일차함수 그래프의 기울기를 구하여라.

03 기울기가 3이고 y절편이 2인 일차함수의 식을 구하면?

04 기울기가 2이고 y절편이 1인 직선이 $(k,\ 3)$을 지날 때, 상수 k의 값은?

05 두 함수 $y = 4x + 1$과 $y = ax + 2$가 평행할 때, a의 값을 구하면?

06 **두 직선 $y = -2x + 2$와 $y = ax + 1$이 수직일 때, a의 값을 구하면?**

01. $l : -3,\ m : 2,\ n = 2$　02. $\frac{3}{8}$　03. $y = 3x + 2$

04. $k = 1$　05. $a = 4$　06. $a = \frac{1}{2}$

4 이차함수

1) 함수 y가 이차식 x^2에 대응되는 식을 이차함수라고 한다.

2) **수식** : $y = ax^2 + bx + c\,(a \neq 0)$

3) $y = x^2$ **의 그래프**

· 원점 O를 지나고, 곡선의 모양이 아래로 볼록하다.(최솟값을 갖는다.)

· y축에 대하여 대칭이다.

· 치역이 $\{y \mid y \geq 0\}$이므로 제 1, 2 사분면 위에 있다.

· x가 증가할 때, $x < 0$의 범위에서 y는 감소하고, $x > 0$의 범위에서 y는 증가한다.

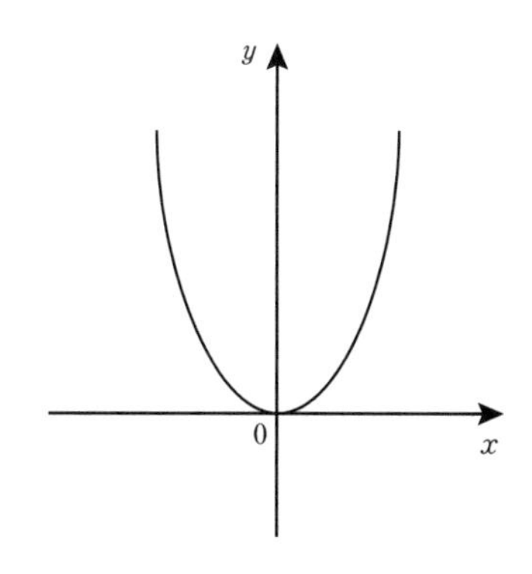

4) **이차함수 $y = -x^2$ 의 그래프**

· 원점 O를 지나고 위로 볼록하다. (최댓값을 갖는다.)

· y축에 대하여 대칭이다.

· x가 증가할 때, $x < 0$의 범위에서 y는 증가하고, $x > 0$의 범위에서 y는 감소한다.

· 원점 이외의 부분은 모두 x축보다 아래에 있다.

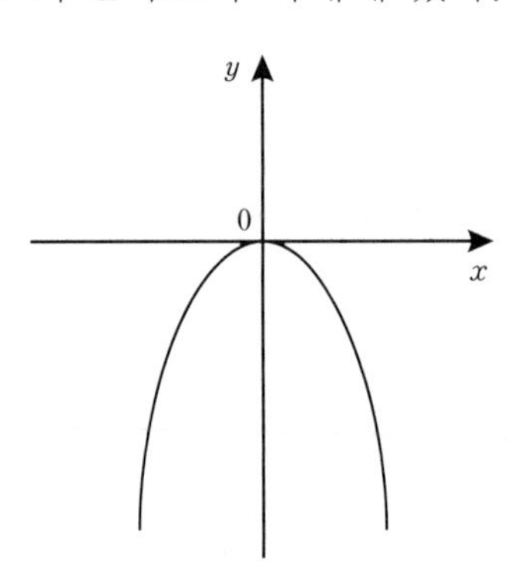

5) $y = ax^2 + q$ **의 그래프**

· $y = ax^2$의 그래프를 y축의 방향으로 q만큼 평행이동한 것이다.

· y축을 축으로 하고, 점 $(0,\ q)$를 꼭짓점으로 하는 포물선이다.

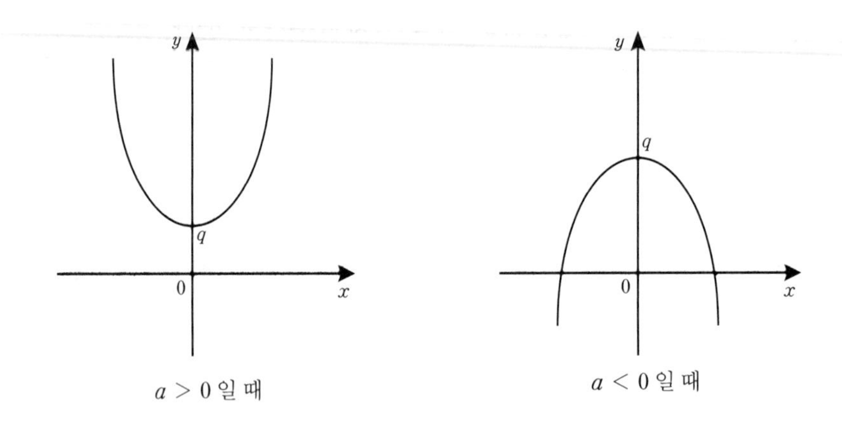

$a > 0$일 때 　　　　 $a < 0$일 때

6) 이차함수 $y = a(x - p)^2$ 의 그래프

· $y = ax^2$ 의 그래프를 x축의 방향으로 p만큼 평행이동한 것이다.

· 직선 $x = p$를 축으로 하고, 점 $(p,\ 0)$을 꼭짓점으로 하는 포물선이다.

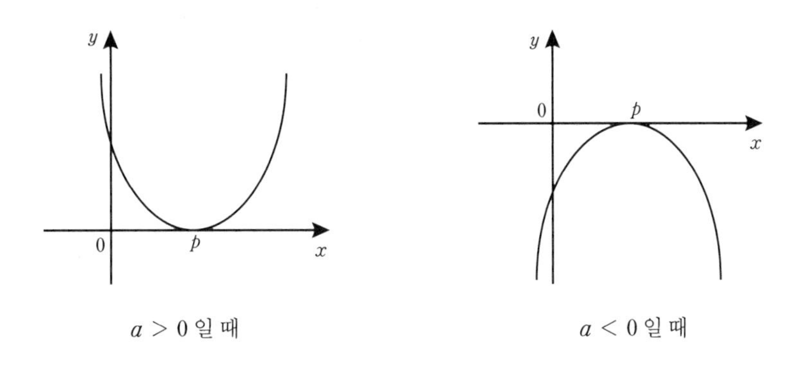

$a > 0$ 일 때　　　　$a < 0$ 일 때

7) 이차함수 $y = a(x - p)^2 + q$ 의 그래프

· $y = ax^2$ 의 그래프를 x축의 방향으로 p만큼, y축의 방향으로 q만큼 평행이동한 것이다.

· 직선 $x = p$를 축으로 하고, 점 $(p,\ q)$를 꼭짓점으로 하는 포물선이다.

· 최솟값, 최댓값은 꼭짓점 좌표의 y좌표이다.

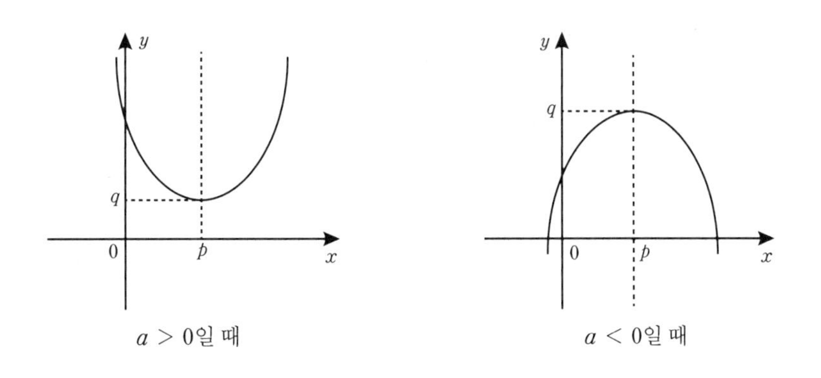

$a > 0$일 때　　　　$a < 0$일 때

● 기본문제4

01 **다음 〈보기〉의 이차함수 그래프에 대한 물음에 답하여라.**

〈 보기 〉

㉠ $y = -4x^2$	㉡ $y = 2x^2$
㉢ $y = \frac{1}{3}x^2$	㉣ $y = -2x^2$

① 위로 볼록한 그래프를 모두 골라라.

② 아래로 볼록한 그래프를 모두 골라라.

02 **다음 이차함수 그래프를 y축의 방향으로 [ ] 안의 수만큼 평행이동한 그래프의 식을 구하여라.**

① $y = x^2$ [7]

② $y = \frac{1}{4}x^2$ [−2]

③ $y = -2x^2$ $\left[\frac{2}{3}\right]$

④ $y = -5x^2$ [−1]

03 **다음 이차함수 그래프의 꼭짓점의 좌표를 구하여라.**

① $y = x^2 + 1$

② $y = 3x^2 - 2$

③ $y = -4x^2 - 8$

④ $y = -\frac{1}{2}x^2 + \frac{1}{4}$

04

다음 이차함수 그래프를 x축의 방향으로 [ ] 안의 수만큼 평행이동한 그래프의 식을 구하여라.

① $y = x^2$ $[-3]$ ② $y = -x^2$ $[5]$

③ $y = \frac{3}{4}x^2$ $\left[-\frac{1}{2}\right]$ ④ $y = -\frac{1}{3}x^2$ $\left[-\frac{1}{3}\right]$

05

다음 이차함수 그래프의 꼭짓점의 좌표와 축의 방정식을 차례로 구하여라.

① $y = (x-3)^2$ ② $y = -(x+4)^2$

③ $y = 3(x+2)^2 - 1$ ④ $y = -\frac{1}{2}(x+1)^2 + 5$

06

다음 이차함수 그래프를 x축의 방향으로 p만큼, y축의 방향으로 q만큼 평행이동한 그래프의 식을 구하여라.

① $y = x^2$ $[p = 1,\ q = -1]$ ② $y = 5x^2$ $[p = 2,\ q = 4]$

③ $y = -x^2$ $[p = -4,\ q = -2]$ ④ $y = -\frac{1}{2}x^2$ $\left[p = -\frac{1}{2},\ q = 1\right]$

01. ① ㉠, ㉣ ② ㉡, ㉢

02. ① $y = x^2 + 7$ ② $y = \frac{1}{4}x^2 - 2$

③ $y = -2x^2 + \frac{2}{3}$ ④ $y = -5x^2 - 1$

03. ① $(0,\ 1)$ ② $(0,\ -2)$ ③ $(0,\ -8)$ ④ $\left(0,\ \frac{1}{4}\right)$

04. ① $y = (x+3)^2$ ② $y = -(x-5)^2$

③ $y = \frac{3}{4}\left(x + \frac{1}{2}\right)^2$ ④ $y = -\frac{1}{3}\left(x + \frac{1}{3}\right)^2$

05. ① $(3,\ 0)$, $x = 3$ ② $(-4,\ 0)$, $x = -4$

③ $(-2,\ -1)$, $x = -2$ ④ $(-1,\ 5)$, $x = -1$

06. ① $y = (x-1)^2 - 1$ ② $y = 5(x-2)^2 + 4$

③ $y = -(x+4)^2 - 2$ ④ $y = -\frac{1}{2}\left(x + \frac{1}{2}\right)^2 + 1$

Exercises 5

단원문제 5

01 다음 중 좌표평면 위의 점의 좌표와 그 점이 속하는 사분면이 바르게 연결된 것은?

① $A(5,\ 2)$: 제4사분면
② $B(-2,\ -12)$: 제1사분면
③ $C(-2,\ 15)$: 제2사분면
④ $D(5,\ -3)$: 제3사분면

02 다음 중 제2사분면 위의 점은?

① $(-9,\ 2)$
② $(0,\ 12)$
③ $(8,\ 3)$
④ $(5,\ -6)$

03 다음 설명 중 옳지 않은 것은?

① x축 위의 점은 y좌표가 0이다.
② 점 $(-4,\ 0)$은 제2사분면 위의 점이다.
③ 원점의 좌표는 $(0,\ 0)$이다.
④ x축과 y축은 서로 수직으로 만난다.

04 다음은 x와 y 사이의 관계식을 나타낸 것이다. y가 x에 정비례하는 것은?

①

x	1	2	3	4	…
y	36	18	12	9	…

②

x	1	2	3	4	…
y	1	0	-1	-2	…

③

x	1	2	3	4	…
y	9	12	15	18	…

④

x	1	2	3	4	…
y	$-\frac{1}{6}$	$-\frac{1}{3}$	$-\frac{1}{2}$	$-\frac{2}{3}$	…

05 다음 중 y가 x에 정비례하는 것은?

① $y = x - 5$
② $\frac{y}{x} = -6$
③ $y = \frac{x}{2} + 3$
④ $y = \frac{3}{x}$

06 다음 표에서 x와 y사이에 $y = ax(a \neq 0)$인 관계식이 성립할 때, 상수 a의 값을 구하면?

x	1	2	3	4	⋯
y	6	12	18	24	⋯

① 2
② 4
③ 6
④ 12

07 다음 〈보기〉에서 y가 x에 반비례하는 것은 모두 몇 개인가?

〈 보기 〉

㉠ $y = -3x$
㉡ $y = -\frac{2}{x}$
㉢ $x = \frac{7}{y}$
㉣ $y = \frac{8}{x}$
㉤ $y = 15x$

① 1개
② 2개
③ 3개
④ 4개

08 **일차함수 $y=ax+1$의 그래프가 점 $(1,\ 2)$를 지날 때, a의 값은?**

① 1　　② 2

③ 3　　④ 4

09 **일차함수 $y=2x+1$의 그래프에 대한 설명으로 옳은 것은?**

① 기울기가 1이다.　　② y절편이 2이다.

③ 점 $(1,\ 3)$을 지난다.　　④ 제4사분면을 지난다.

10 **다음은 일차함수 $y=-\frac{2}{5}x+a$의 그래프이다. a의 값을 구하면?**

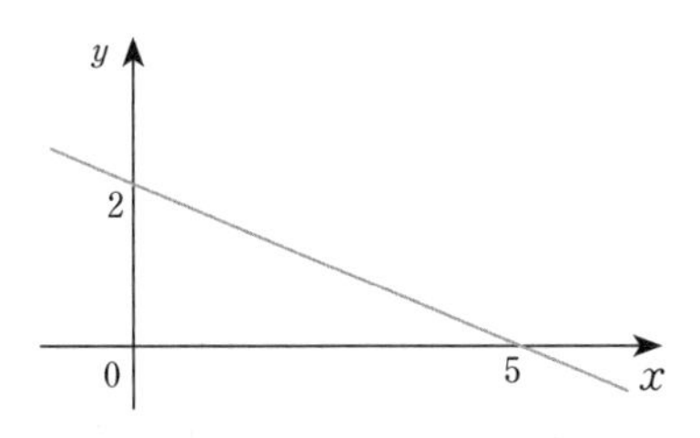

① 1　　② 2

③ 3　　④ 4

11 다음 중 이차함수인 것을 고르면?

① $y = x^2(6 - x)$　　② $y = \frac{1}{x^2} - 1$

③ $y = x^2 - 1$　　④ $y = x + 2$

12 이차함수 $y = ax^2$의 그래프가 다음 그림과 같을 때, 상수 a의 값을 구하면?

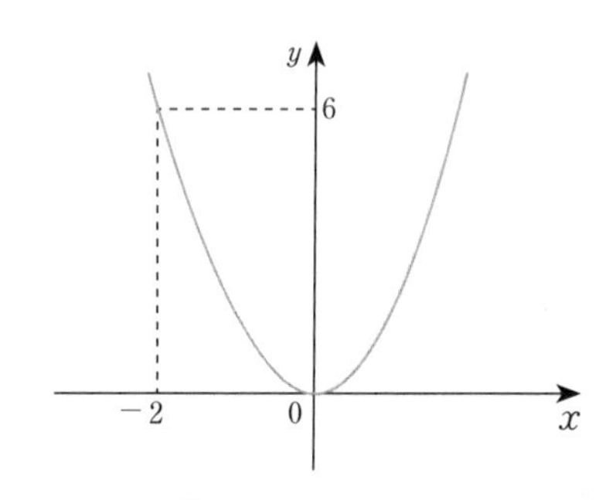

① 1　　② $\frac{3}{2}$

③ $\frac{5}{2}$　　④ 4

13 이차함수 $y = 5(x + 1)^2 - 3$의 그래프는 $y = 5x^2$의 그래프를 x축의 방향으로 p만큼, y축의 방향으로 q만큼 평행이동한 것이다. 이 때, $p + q$의 값은?

① -4　　② -2

③ 2　　④ 4

14 **이차함수 $y=-\frac{1}{3}(x-3)^2$에 대한 설명으로 옳지 <u>않은</u> 것은?**

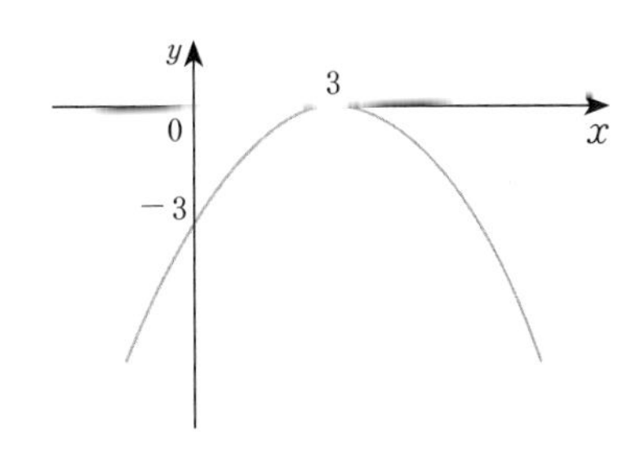

① 위로 볼록이다. ② 꼭짓점의 좌표는 $(3,\ 0)$이다.
③ 점 $(-3,\ 0)$을 지난다. ④ 최댓값은 0이다.

15 **이차함수 $y=3(x+1)^2+1$의 그래프에 대한 다음 설명 중 옳지 <u>않은</u> 것은?**

① 꼭짓점의 좌표는 $(-1,\ 1)$이다.
② 축의 방정식은 $x=-1$이다.
③ $y=-x^2$의 그래프와 폭이 같다.
④ 제 1, 2사분면을 지난다.

정답 176쪽

Mathematics

06

통계 확률

1. 자료의 정리 및 관찰
2. 경우의 수와 확률
3. 대푯값
4. 산포도
5. 상관관계
6. 단원문제(6)

06 통계 확률

1 자료의 정리 및 관찰

1) 전체의 자료를 몇 개의 계급으로 나누고, 각 계급에 속하는 도수를 조사하여 나타낸 표를 도수분포표라고 한다.

2) **용어**

· 변량 : 자료를 수량으로 나타낸 것

· 계급 : 변량을 나눈 구간

· 계급의 크기 : 구간의 너비

· 도수 : 각 계급에 속한 자료의 수

· 계급값 : 계급을 대표하는 값으로 계급의 중앙의 값

$$(\text{계급값}) = \frac{(\text{계급의 양끝 값의 합})}{2}$$

3) **상대도수**

· 두 가지 이상의 자료에 대한 도수분포표를 비교할 필요가 있을 때, 총 도수가 다르면 비교하기가 불편하다. 이 때, 총 도수에 대한 각 계급의 도수의 비율을 구하여 사용하면 편리하다.

· 상대도수는 전체 도수에 대한 각 계급의 도수의 비율이다.

· $(\text{각 계급의 상대도수}) = \dfrac{(\text{그 계급의 도수})}{(\text{도수의 총합})}$

· 상대도수의 총합은 1이다.

· 자료의 크기가 다른 분포를 비교할 때는 상대도수를 이용한다.

· 상대도수의 분포를 나타낸 그래프 그리기

① 가로축에 계급의 양 끝값을 차례로 써 넣는다.

② 세로축에 상대도수를 써 넣는다.

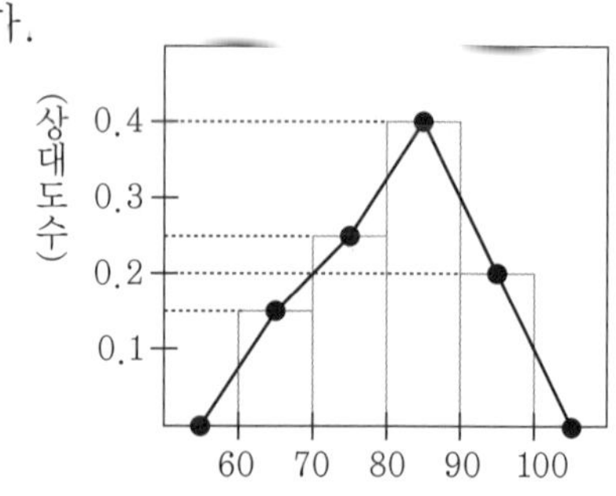

▲ 상대도수의 분포를 나타낸 그래프

[예시]

수학점수	도수	상대도수
60이상 ~ 70미만	8	$\frac{8}{20}=0.4$
70 ~ 80	6	$\frac{6}{20}=0.3$
80 ~ 90	4	$\frac{4}{20}=0.2$
90 ~ 100	2	$\frac{2}{20}=0.1$
합계	20	1

4) 줄기와 잎

· 줄기와 잎을 이용하여 자료를 나타낸 그림

· 아래 그림처럼 줄기는 세로선의 왼쪽에 있는 수이고, 잎은 세로선의 오른쪽에 있는 수이다.

· 자료가 두 자리의 수 일 때, 줄기는 십의 자리의 숫자, 잎은 일의 자리의 숫자를 나타낸다.

[예시] (1/4는 14)

줄기	잎
0	5 7 9
1	3 4 5 6
3	0 2 5 7 8
4	1 7
5	3 6

● 기본문제1

01 **다음 도수분포표는 중학교 학생 50명을 대상으로 봉사활동 시간을 조사한 것이다.**

봉사활동 시간	학생 수(명)
0이상 ~ 3미만	18
3 ~ 6	21
6 ~ 9	A
9 ~ 12	4
12 ~ 15	2
계	50

① 계급의 크기를 구하면?

② A값을 구하면?

③ 도수가 가장 작은 계급의 계급값을 구하면?

④ 봉사활동 시간이 9시간 이상의 학생 수를 구하면?

02 **다음 표는 한양학원 학생 20명의 평균 수면시간을 도수와 상대도수로 나타낸 것이다. 표를 완성하시오.**

수면시간	도수	상대도수
4이상 ~ 5미만	1	
5 ~ 6	3	
6 ~ 7	6	
7 ~ 8	7	
8 ~ 9	2	
9 ~ 10	1	
계	20	

03

1분 동안의 줄넘기 횟수를 조사하여 줄기와 잎 그림으로 나타낸 것이다. 잎이 가장 많은 줄기는?

(2/3은 23회)

줄기	잎
2	3 4 5 9
3	1 1 3 4 5 7 7
4	3 4 5 8 8
5	2 5 6 9

01. ① 3 ② 5 ③ $\frac{27}{2}$ ④ 6명

02.

수면시간	도수	상대도수
4이상 ~ 5미만	1	0.05
5 ~ 6	3	0.15
6 ~ 7	6	0.3
7 ~ 8	7	0.35
8 ~ 9	2	0.1
9 ~ 10	1	0.05
계	20	1

03. 3

2 경우의 수와 확률

1) **경우의 수** : 어떤 일이 발생할 수 있는 모든 가짓수를 경우의 수라고 한다.

① 시행 : 어떤 행위를 시도하는 것

② 사건 : 어떤 행위를 시도한 후 나온 결과

③ 합의 법칙 : 두 사건 A, B가 있을 때, 사건 A가 일어날 경우의 수를 m가지, 사건 B가 일어날 경우의 수를 n가지라 할 때, 두 사건 A, B가 동시에 일어나지 않을 경우의 수는 $m + n$가지이다.

④ 곱의 법칙 : 두 사건 A, B가 있을 때, 사건 A가 일어날 경우의 수를 m가지, 사건 B가 일어날 경우의 수를 n가지라 할 때, 두 사건 A, B가 동시에 일어날 경우의 수는 $m \times n$가지이다.

2) **확률** : 어떤 사건이 일어날 가능성을 분수로 표현한 것을 확률이라고 한다.

사건 A가 일어날 확률을 P라고 하면,

$$P = \frac{\text{내가 원하는 특정 경우의 수}}{\text{일어날 수 있는 모든 경우의 수}}$$

3) **확률의 성질**

· 사건 A가 일어날 확률을 p라고 하면 확률의 범위는 $0 \le p \le 1$이다.

· 사건이 완전히 일어날 수 없는 확률은 0이고, 100% 일어날 확률은 1이다.

· 여사건의 확률 : 사건 A가 일어날 확률을 p, 사건 A가 일어나지 않을 확률을 q라고 하면 $q = 1 - p$

· 확률의 덧셈과 곱셈 : 두 사건 A, B의 확률을 각각 p, q라고 하면, 동시에 일어나지 않을 확률은 $p + q$, 동시에 일어날 확률은 $p \times q$로 계산한다.

● 기본문제2

01 각 면에 1부터 8까지의 자연수가 각각 하나씩 적힌 정팔면체 한 개를 던질 때, 다음 사건이 일어나는 경우의 수를 구하여라.

① 소수가 나온다.

② 4의 약수가 나온다.

02 빨간 구슬 5개, 노란 구슬 3개, 파란 구슬 2개가 들어 있는 주머니에서 한 개의 구슬을 꺼낼 때, 빨간 구슬 또는 파란 구슬이 나오는 경우의 수를 구하여라.

03 서로 다른 두 개의 주사위를 동시에 던질 때, 나오는 눈의 수의 차가 1 또는 3인 경우의 수를 구하여라.

04 동전 한 개와 주사위 한 개를 동시에 던질 때, 일어나는 모든 경우의 수를 구하여라.

05

주사위 한 개를 던질 때, 다음을 구하여라.

① 홀수의 눈이 나올 확률

② 7이상의 눈이 나올 확률

③ 6이하의 눈이 나올 확률

06

1부터 12까지의 자연수가 각각 하나씩 적힌 12장의 카드를 뒤집어 놓고 이 중에서 한 장을 뽑을 때, 카드에 적힌 수가 3의 배수 또는 5의 배수일 확률을 구하여라.

07

현이와 다율이가 가위바위보를 할 때, 비길 확률을 구하여라.

08

100원짜리 동전 한 개와 10원짜리 동전 한 개를 동시에 던질 때, 적어도 한 개는 앞면이 나올 확률을 구하여라.

01. ① 4가지 ② 3가지
02. 7가지 03. 16가지 04. 12가지
05. ① $\frac{1}{2}$ ② 0 ③ 1
06. $\frac{1}{2}$ 07. $\frac{1}{3}$ 08. $\frac{3}{4}$

3 대푯값

1) 평균 $= \dfrac{\text{자료값의 총합}}{\text{자료의 총수}}$

2) **중앙값** : 자료를 작은 값에서 크기순으로 나열할 때, 정 중앙에 오는 값

3) **최빈값** : 자료 중 가장 많이 나타나는 값

4) 도수분포표에서의 평균 $= \dfrac{(\text{각 계급의 계급값} \times \text{그 계급값의 도수})\text{의 총합}}{\text{도수의 총합}}$

● 기본문제3

01 **다음은 학생 5명의 팔 굽혀펴기 횟수를 나타낸 자료이다. 이 자료의 평균을 구하여라.**

(단위 : 회)

50	21	32	18	39

02

다음 자료의 중앙값을 구하여라.

① $3, -1, 2, -2, -3, 0, 1$

② $3, 7, 1, 11, 9$

03

다음 자료의 최빈값을 구하여라.

① $5, 4, 7, 2, 4, 4$

② $1, 1, 2, 2, 2, 4, 5$

③ $4, 9, 5, 8, 7, 6, 9$

01. 32
02. ① 0 ② 7
03. ① 4 ② 2 ③ 9

4 산포도

1) **산포도** : 자료의 흩어진 정도를 하나의 수치로 나타낸 것

2) **편차 = 변량 − 평균**

성질 : ① 편차의 합은 항상 0 이다. ② 편차의 절댓값이 작으면 평균과 가깝다.

3) 분산 $= \dfrac{(\text{편차})^2\text{의 총합}}{\text{변량의 총 개수}}$

4) **표준편차** : $\sqrt{\text{분산}}$

● 기본문제4

01 다음은 현이네 분단 학생 5명의 바둑급수이다. 이 자료에서 분산을 구하면?

7, 9, 5, 8, 6

① 0 ② 1 ③ 1.2
④ $\sqrt{2}$ ⑤ 2

02 다음 중 편차가 가장 작은 것은?

① 1, 2, 3, 4, 5 ② 2, 2, 3, 4, 4
③ 1, 3, 3, 4, 4 ④ 1, 3, 3, 3, 5
⑤ 2, 3, 3, 3, 4

03 다음 중 〈보기〉에서 옳은 것을 모두 고른 것은?

〈 보기 〉

(가) (편차)=(평균)−(변량)

(나) 편차의 총합은 항상 0이 된다.

(다) 분산은 편차의 평균이다.

(라) 표준편차는 분산의 양의 제곱근이다.

① (가), (나)　② (가), (나), (라)　③ (나), (다), (라)

④ (나), (다)　⑤ (나), (라)

01. ⑤　02. ⑤　03. ⑤

5 상관관계

1) **상관도** : 아래 그림과 같이 두 변량의 한 쪽을 x축, 다른 한 쪽을 y축으로 하여 각 변량의 순서쌍를 좌표평면 위에 점으로 찍어 나타낸 그래프를 상관도라 한다.

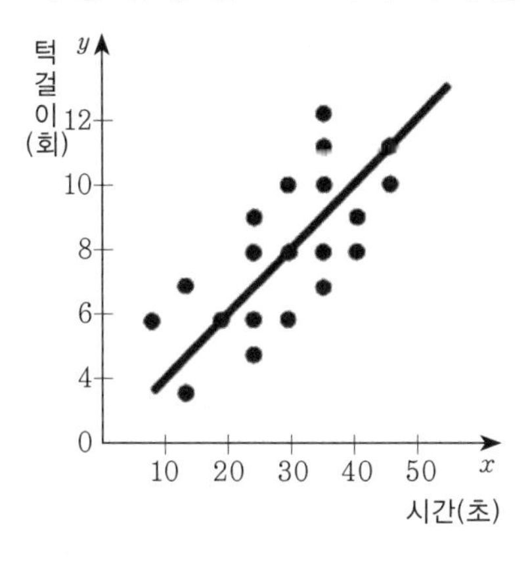

2) **상관관계**

① 상관관계 : 두 변량 x, y에서 한 쪽 변량의 변화와 다른 쪽 변량의 변화 사이의 관계

② 양의 상관관계 : 상관도에서 주어진 두 변량 x, y 사이에 x의 값이 커짐에 따라 y의 값도 대체로 커질 때

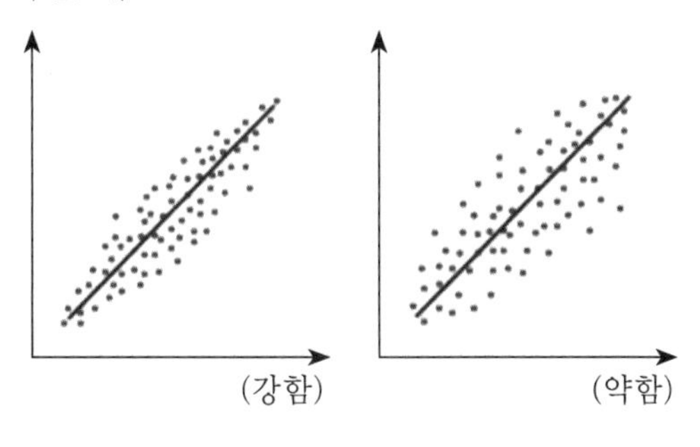

〈양의 상관관계〉

③ 음의 상관관계 : 양의 상관관계와 반대로 x의 값이 커짐에 따라 y의 값이 대체로 작아질 때

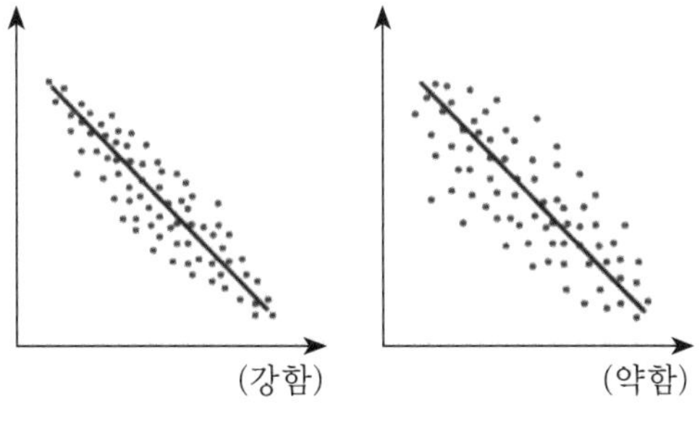

〈음의 상관관계〉

④ 상관관계가 없다 : 상관도에서 점들이 흩어져 있거나 축에 평행일 때

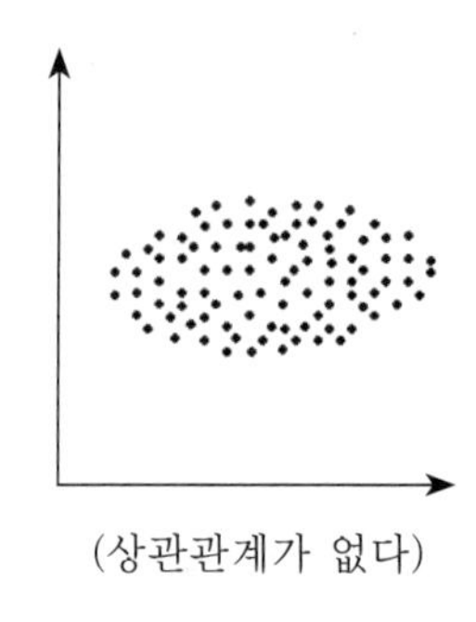

(상관관계가 없다)

3) 상관표

① 가로와 세로에 계급의 크기를 정하여 두 변량의 도수분포를 함께 나타낸 표를 상관표라 한다.

② 상관표의 작성방법

- 각 자료의 계급의 크기를 정한다.
- 가로축의 변량은 왼쪽에서 오른쪽으로 갈수록, 세로축의 변량은 아래에서 위로 갈수록 커지게 구간을 잡는다.
- 각각의 구간에 속하는 자료의 개수를 해당하는 난에 써 넣는다.
- 각각의 가로줄, 세로줄의 합계를 계산한다.

③ 상관표의 역할

- 도수분포표의 역할을 한다.
- 분포 상태를 보고 상관관계의 경향도 알 수 있다.
- 상관표를 보고 평균, 분산, 표준편차를 구할 수 있다.

● 기본문제5

01 **다음 상관도 중에서 음의 상관관계를 나타내고 있는 것은?**

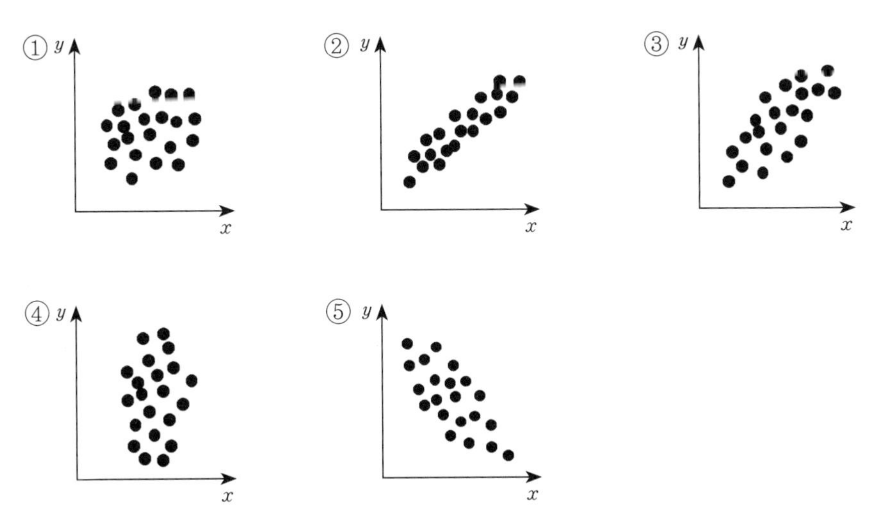

02 **다음 그림은 어느 학급 학생 16명의 영어 점수와 수학 점수에 대한 상관도이다. 다음 물음에 답하시오.**

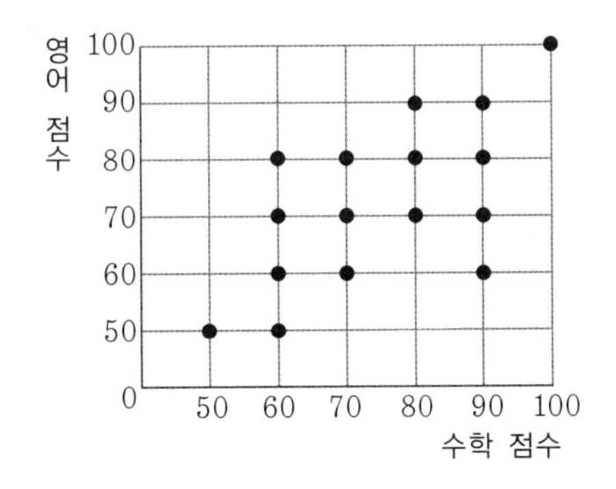

① 영어 점수가 수학 점수보다 높은 학생은 몇 명인가?

② 수학 점수가 영어 점수보다 높은 학생은 몇 명인가?

③ 두 과목의 점수가 같은 학생은 몇 명인가?

01. ⑤ 02. ① 4명 ② 6명 ③ 6명

Exercises 6

01

다음은 학생 20명의 수학성적에 관한 도수분포표이다. 도수가 가장 작은 계급값은?

성적	학생 수(도수)
60이상 ~ 70미만	3
70이상 ~ 80미만	6
80이상 ~ 90미만	9
90이상 ~ 100미만	2
계	20

① 65 ② 75
③ 85 ④ 95

02

다율이의 수학성적의 평균은 3회까지는 69점이었다. 그 후 한번 시험을 더 본 결과 평균이 1점이 올랐다. 마지막 시험에서 다율이의 수학 성적은?

① 70점 ② 71점
③ 72점 ④ 73점

03

0, 1, 2, 3의 숫자가 각각 적힌 4장의 카드로 만들 수 있는 두 자리 정수는 모두 몇 가지인가?

① 16 ② 12
③ 9 ④ 5

04 남자 3명과 여자 4명으로 구성된 동아리가 있다. 대표 한 명을 뽑을 때, 남자를 대표로 뽑을 확률을 구하면?

① $\frac{1}{7}$　② $\frac{2}{7}$

③ $\frac{3}{7}$　④ $\frac{4}{7}$

05 다음은 다율이네 반 학생 9명의 가족 수를 나타낸 자료이다. 이 자료의 중앙값과 최빈값의 합을 구하면?

(단위 : 명)

3	6	4	3	3	6	4	5	3

① 3　② 5

③ 7　④ 9

06 다음 표의 줄기와 잎 그림은 선아네 반 학생 15명의 티셔츠 치수를 나타낸 것이다. 이 자료의 최빈값을 구하면?

(9/0은 90)

줄기	잎
8	0 5 5
9	0 0 5 5 5 5 5
10	0 0 0 5 5

① 80　② 90

③ 95　④ 100

07 다섯 개의 변량 1, 2, 3, 4, 5의 표준편차는?

① 2　　② $\sqrt{2}$

③ $\sqrt{3}$　　④ 3

08 A반의 15명의 수학 성적과 영어 성적의 상관도이다. 수학 성적이 영어 성적보다 더 높은 학생 수는?

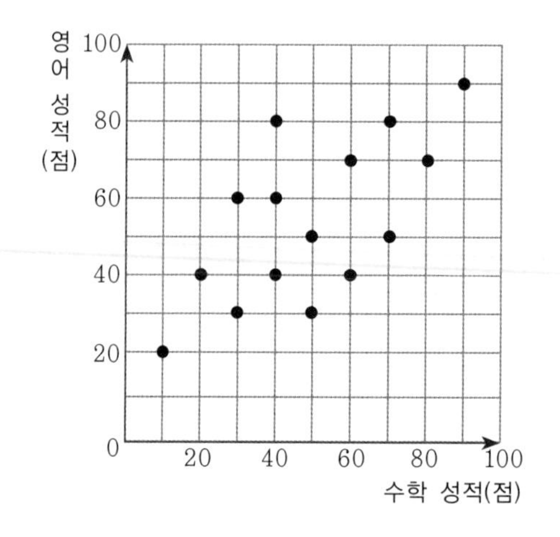

① 2　　② 3

③ 4　　④ 5

정답 176쪽

Mathematics

07 평면도형

07 평면도형

1 기본도형

1) 점, 선, 면

우리 주변에서 접하는 사물은 대부분 점, 선, 면으로 이루어진 도형으로 나타낼 수 있다. 이때 도형을 이루는 점, 선, 면을 도형의 기본 요소라고 한다.

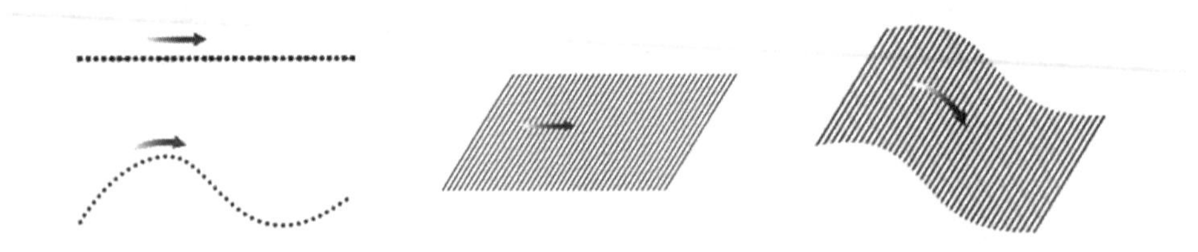

위 그림과 같이 점이 움직인 자취는 선이 되고, 선이 움직인 자취는 면이 된다.

따라서 선은 무수히 많은 점으로 이루어져 있고, 면은 무수히 많은 선으로 이루어져 있음을 알 수 있다.

2) 평면도형과 입체도형

삼각형, 원과 같이 한 평면 위에 있는 도형을 평면도형이라 하고, 직육면체, 원기둥, 구와 같이 한 평면 위에 있지 않은 도형을 입체도형이라고 한다. 이러한 평면도형과 입체도형도 모두 점, 선, 면으로 이루어져 있다.

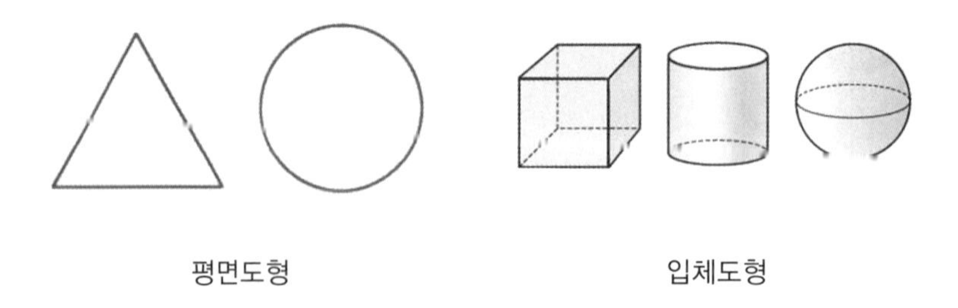

평면도형 입체도형

3) 각

다음 그림과 같이 두 반직선 OA와 OB로 이루어진 도형을 각 AOB라고 하며, 이것을 기호로 $\angle AOB$와 같이 나타낸다.

이때 $\angle AOB$를 간단히 $\angle O$로 나타내기도 한다.

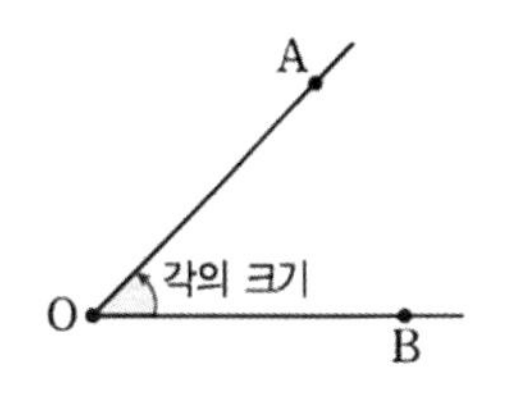

또, $\angle AOB$에서 점 O를 이 각의 꼭짓점이라 하고, 두 반직선 OA와 OB를 이 각의 변이라고 한다. 한편, $\angle AOB$에서 꼭짓점 O를 중심으로 변 OB가 변 OA까지 회전한 양을 $\angle AOB$의 크기라고 한다. $\angle AOB$의 크기가 $45°$일 때, $\angle AOB = 45°$와 같이 나타낸다.

$\angle AOB$의 두 변 OA와 OB가 반대쪽에 있으면서 한 직선을 이룰 때 $\angle AOB$를 평각이라고 한다. 평각의 크기는 $180°$이다.

직각의 크기는 $90°$이므로 평각의 크기의 $\frac{1}{2}$이다. 또 예각은 크기가 $0°$보다 크고 $90°$보다 작은 각이고, 둔각은 크기가 $90°$보다 크고 $180°$보다 작은 각이다.

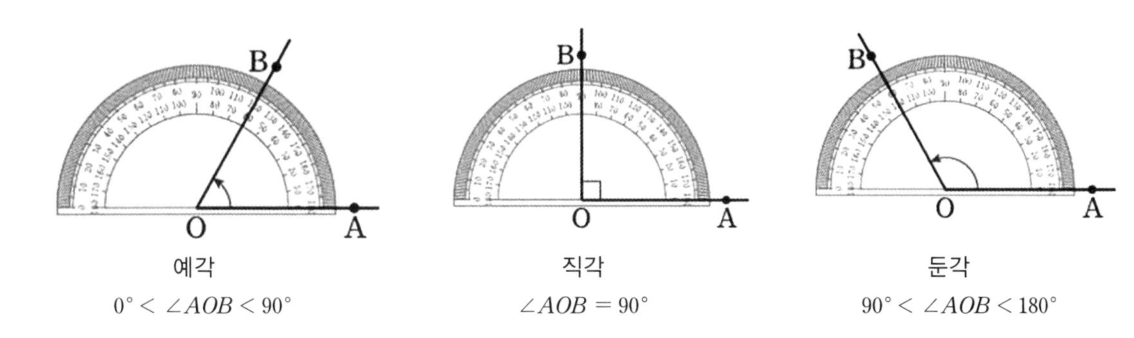

4) 교각과 맞꼭지각

오른쪽 그림과 같이 두 직선이 한 점에서 만날 때 생기는 네 개의 각 $\angle a$, $\angle b$, $\angle c$, $\angle d$를 두 직선의 교각이라고 한다.

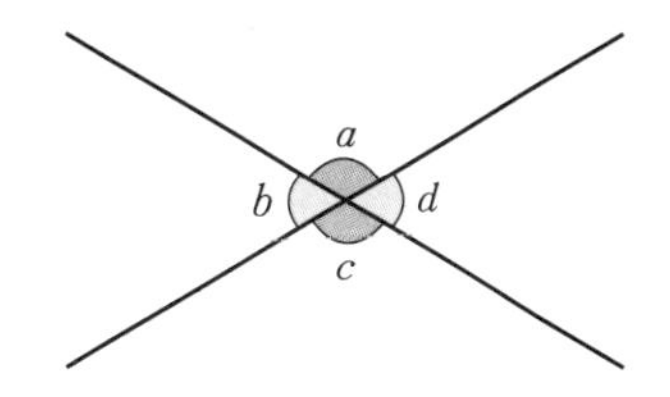

이때, $\angle a$와 $\angle c$, $\angle b$와 $\angle d$와 같이 서로 마주 보는 두 각을 맞꼭지각이라고 하고, 맞꼭지각의 크기는 서로 같다.

5) 동위각과 엇각

평행한 두 직선 위에 다른 직선을 교차시킬 때 만나서 생기는 각으로써 그 각끼리는 서로 같다. 같은 위치에 있는 각을 동위각이라고 한다.

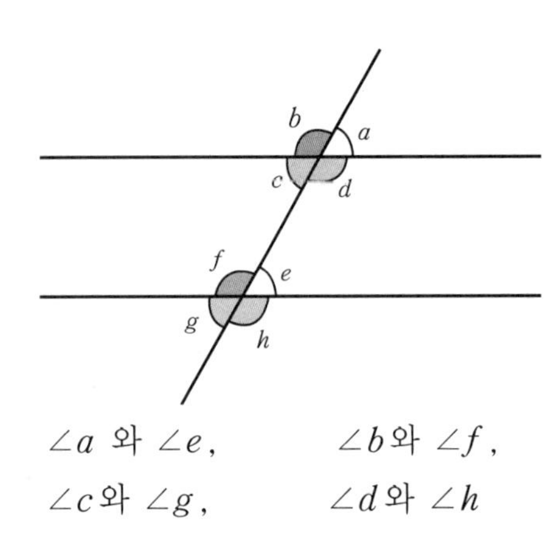

$\angle a$ 와 $\angle e$,　　　$\angle b$와 $\angle f$,

$\angle c$와 $\angle g$,　　　$\angle d$와 $\angle h$

동위각 : 같은 위치에 있는 두 각

평행한 두 직선 위에 다른 직선을 교차시킬 때 만나서 생기는 각으로써, 서로 반대쪽에서 상대하는 각

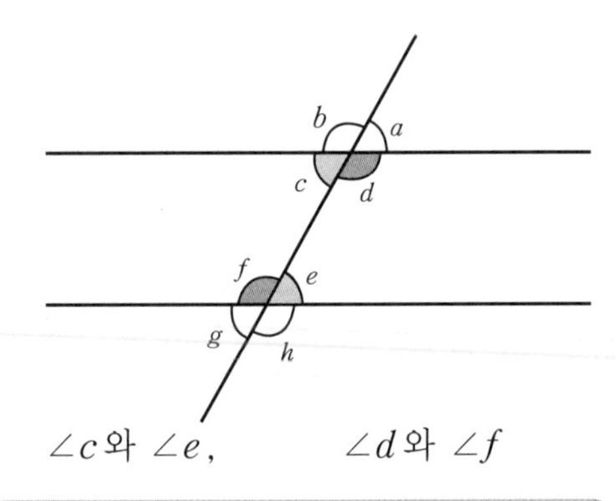

$\angle c$와 $\angle e$,　　　$\angle d$와 $\angle f$

엇각 : 엇갈린 위치에 있는 두 각

● 기본문제1

01　**오른쪽 그림에서 다음 각을 모두 찾아서 기호로 나타내어라.**

① 평각　　② 직각

③ 예각　　④ 둔각

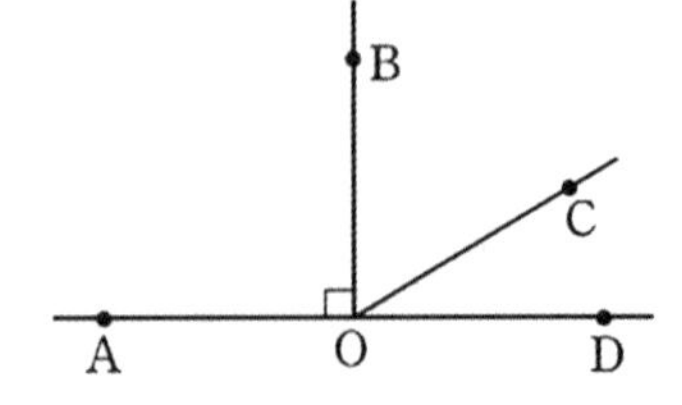

02 오른쪽 그림에서 세 직선 AD, BE, CF의 교점이 O이다. 다음 각의 맞꼭지각을 말하고, 그 크기를 구하여라.

① $\angle AOF$

② $\angle COE$

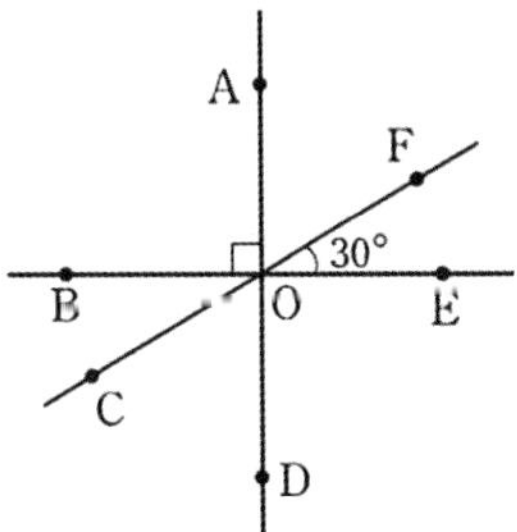

03 다음 각 x 또는 y를 구하여라.(단, 직선 l, m은 서로 평행하다.)

①

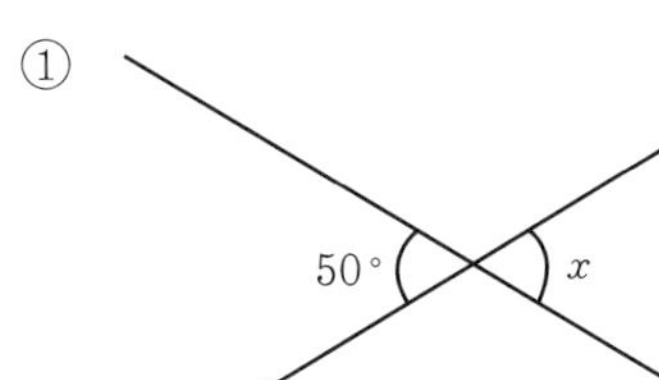

②

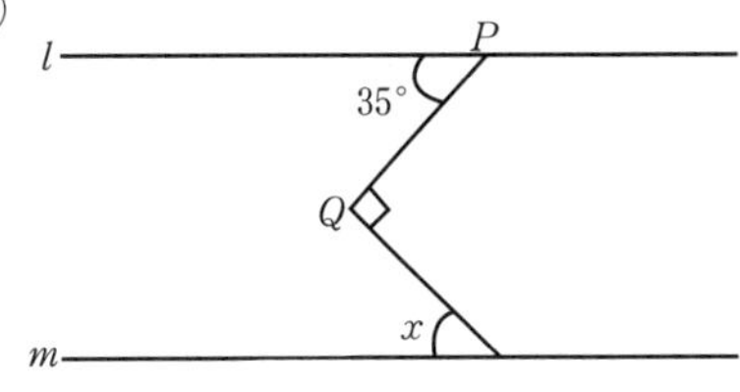

③

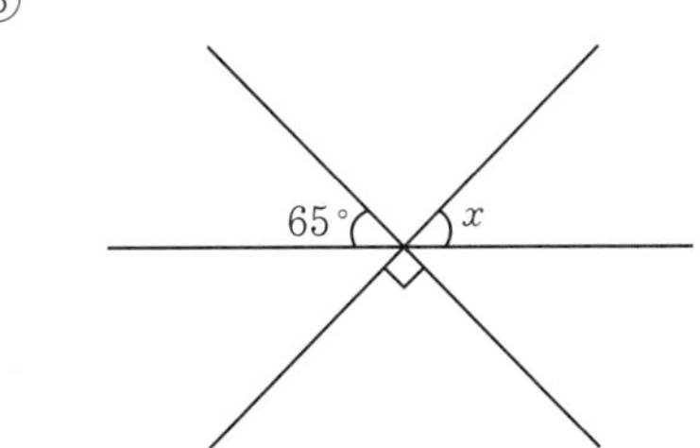

④

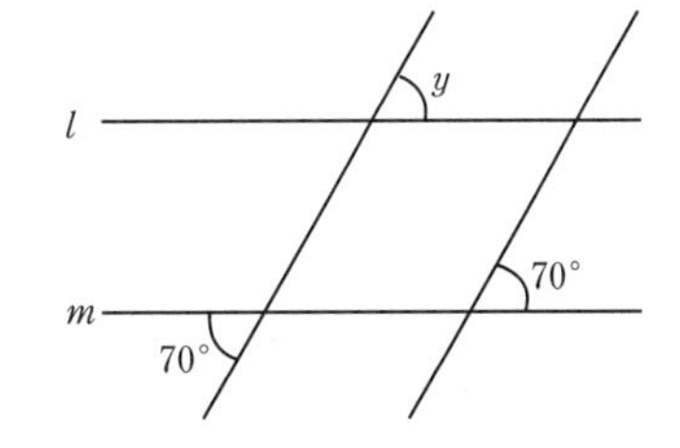

01. ① $\angle AOD$ ② $\angle BOA$, $\angle BOD$ ③ $\angle BOC$, $\angle COD$ ④ $\angle AOC$
02. ① $\angle COD$, $60°$ ② $\angle BOF$, $150°$
03. ① $50°$ ② $55°$ ③ $25°$ ④ $70°$

2 위치와 관계

1) 위치

아래 그림에서 점 A는 직선 l 위에 있고, 점 B는 직선 l 위에 있지 않다.

이와 같이 점과 직선의 위치 관계는 점이 직선 위에 있을 때와 점이 직선 위에 있지 않을 때의 두 가지 경우가 있다. 점이 직선 위에 있다는 것은 '직선이 그 점을 지난다'는 뜻이고, 점이 직선 위에 있지 않다는 것은 '직선이 그 점을 지나지 않는다' 또는 '그 점이 직선 밖에 있다'는 뜻이다.

다음 그림에서 점 A는 평면 P 위에 있고, 점 B는 평면 P 위에 있지 않다. 이와 같이 점과 평면의 위치 관계도 점이 평면 위에 있을 때와 점이 평면 위에 있지 않을 때의 두 가지 경우가 있다.

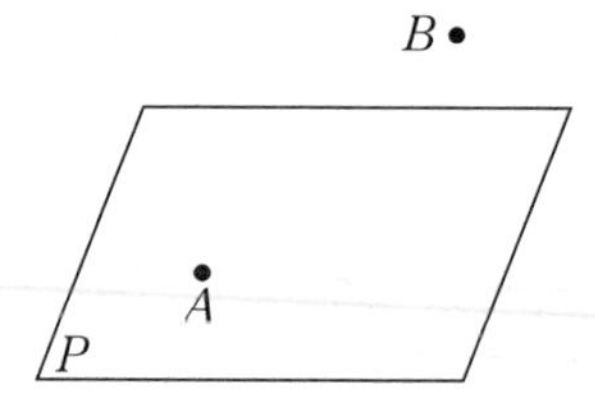

2) 평면에서 두 직선의 위치 관계

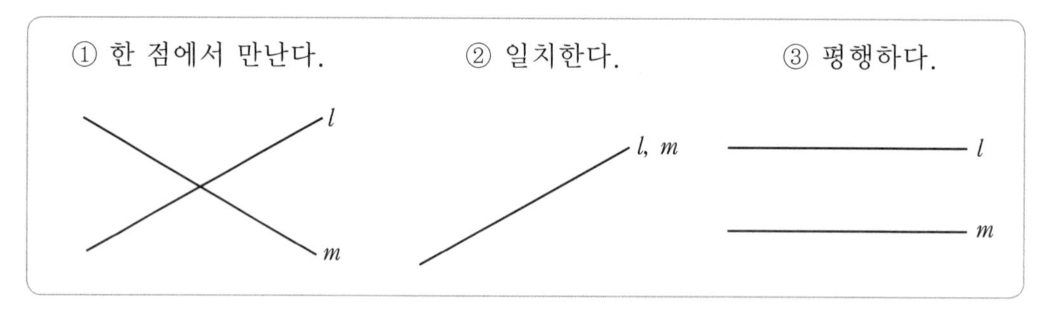

위의 ①과 ②는 두 직선이 만나는 경우이고, ③은 두 직선이 만나지 않는 경우이다.

3) 공간에서 두 직선의 위치 관계

① 한 점에서 만난다. ② 일치한다. ③ 평행하다. ④ 꼬인 위치에 있다.

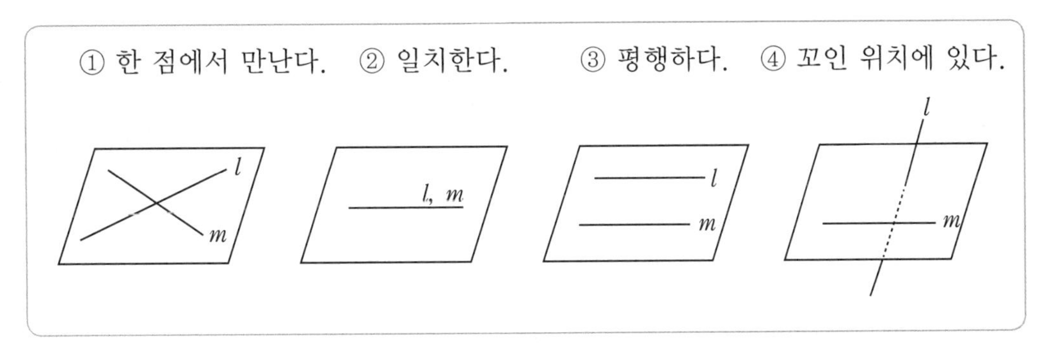

위의 ①과 ②는 두 직선이 만나는 경우이고, ③과 ④는 두 직선이 만나지 않는 경우이다.

● 기본문제2

01 **오른쪽 평행사변형 $ABCD$에서 다음을 구하여라.**

① 변 AB와 만나는 변

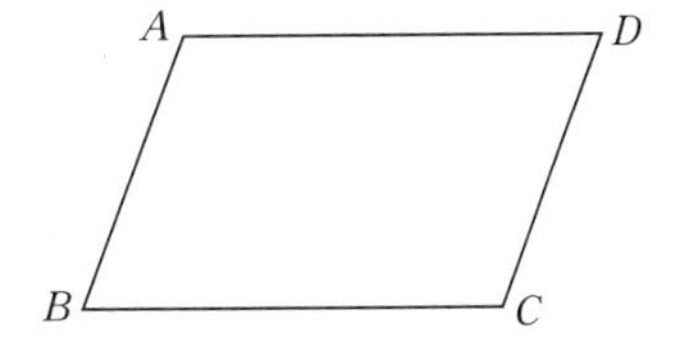

② 교점이 B인 두 변

③ 변 AB와 평행한 변

02 오른쪽 삼각기둥에서 다음을 구하여라.

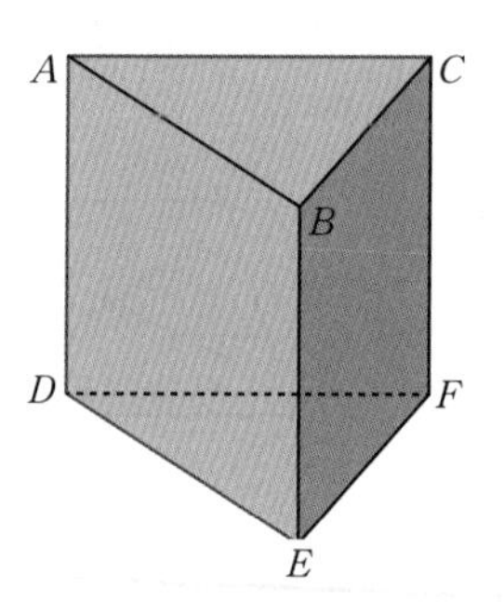

① 모서리 AB와 만나는 모서리

② 모서리 AB와 평행한 모서리

③ 모서리 AB와 꼬인 위치에 있는 모서리

01. ① 변 AD, 변 BC ② 변 AB, 변 BC ③ 변 CD

02. ① 모서리 AC, AD, BC, BE ② 모서리 DE ③ 모서리 EF, DF, CF

3 작도와 합동

1) 작도

눈금 없는 자와 컴퍼스만을 사용하여 도형을 그리는 것을 작도라고 한다. 이때 눈금 없는 자는 두 점을 연결하여 선분을 그리거나 선분을 연장하는 데 사용하고, 컴퍼스는 원을 그리거나 선분의 길이를 재어서 옮기는 데 사용한다.

아래 그림의 선분 AB와 길이가 같은 선분 PQ는 다음과 같이 작도할 수 있다.

① 자로 직선 l을 긋고 그 위에 점 P를 잡는다.

② 컴퍼스로 $\overline{AB}$ 의 길이를 잰다.

③ 점 P를 중심으로 반지름의 길이가 $\overline{AB}$ 인 원을 그려서 직선 l과의 교점을 Q라고 하면 $\overline{PQ}$ 가 작도된다.

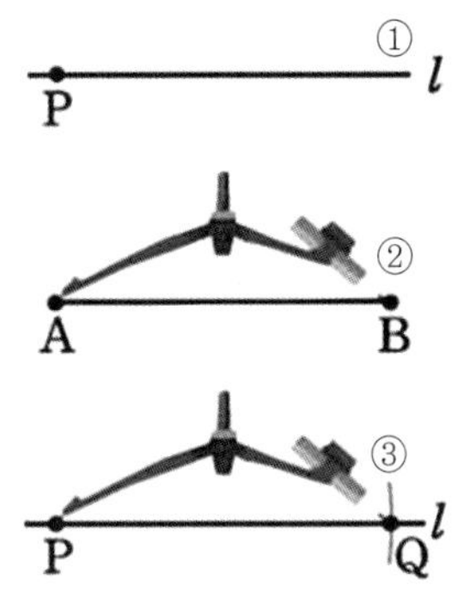

2) 삼각형의 6요소

삼각형 ABC를 기호로 $\triangle ABC$와 같이 나타낸다.
$\triangle ABC$에서 $\angle A$와 마주 보는 변 a를 A의 대변이라 하고, $\angle A$를 변 BC의 대각이라고 한다. 일반적으로 삼각형 ABC에서 $\angle A$, $\angle B$, $\angle C$의 대변의 길이를 차례대로 a, b, c로 나타낸다. 삼각형 ABC에서 세 변 AB, BC, CA와 세 각 $\angle A$, $\angle B$, $\angle C$를 삼각형의 6요소라고 한다.

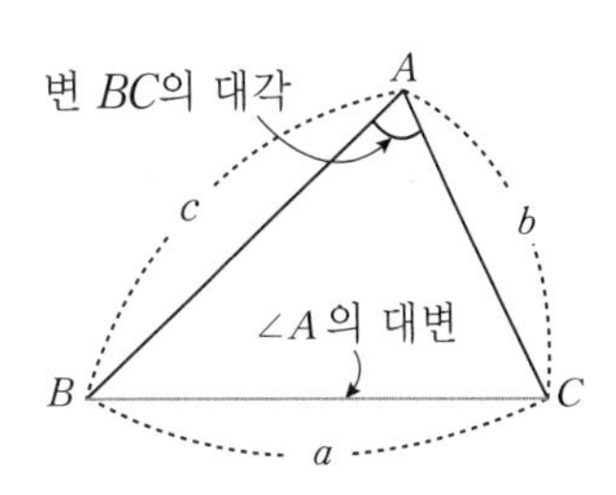

3) 삼각형의 합동조건

모양과 크기가 같아서 완전히 포개지는 두 도형은 서로 합동이라고 한다. 합동인 두 도형에서 서로 포개지는 꼭짓점과 꼭짓점, 변과 변, 각과 각은 서로 대응한다고 한다.

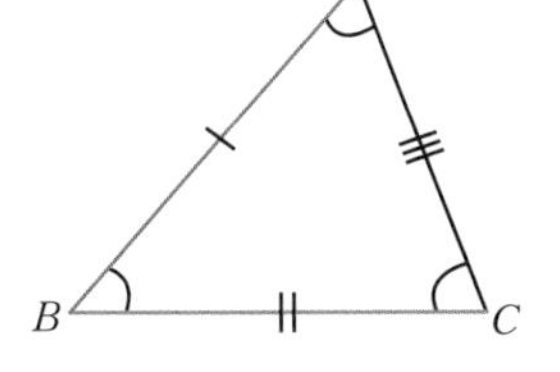

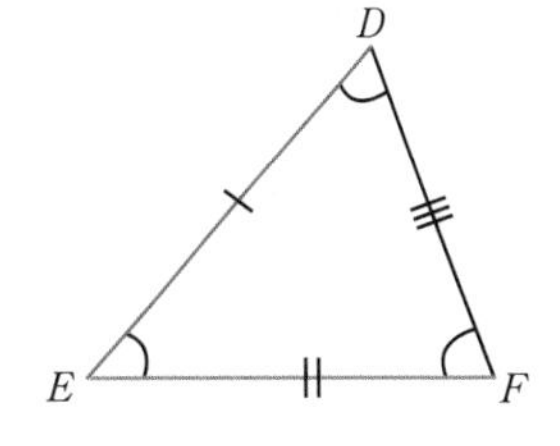

삼각형 ABC와 삼각형 DEF가 합동일 때, 이것을 기호 $\equiv$를 사용하여 $\triangle ABC \equiv \triangle DEF$와 같이 나타낸다.

· 두 삼각형이 합동이 되는 조건

두 삼각형은 다음과 같은 경우에 서로 합동이다.

① 세 쌍의 대응변의 길이가 각각 같을 때(SSS 합동)

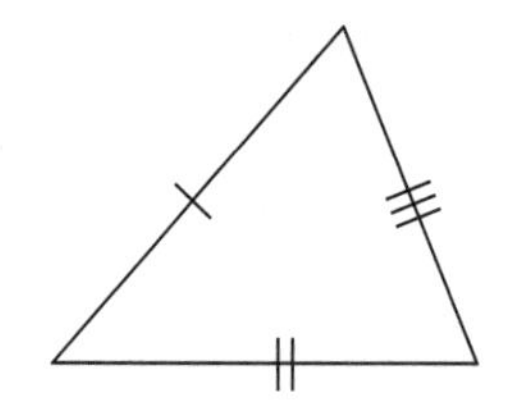

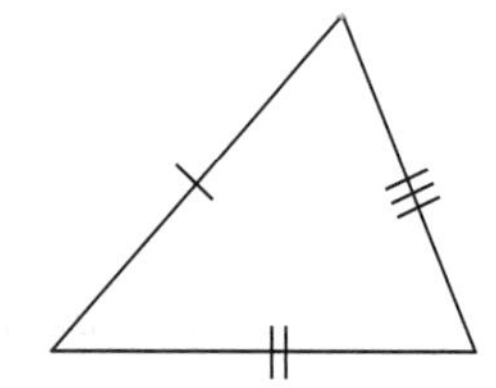

② 두 쌍의 대응변의 길이가 각각 같고, 그 끼인 각의 크기가 같을 때(SAS 합동)

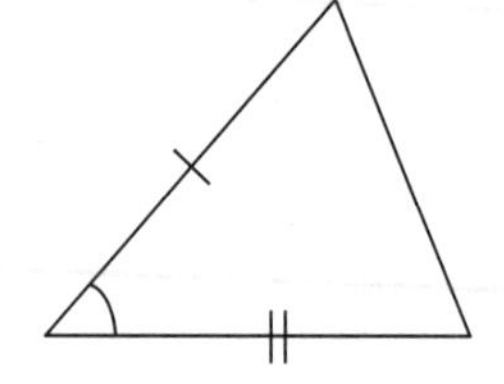

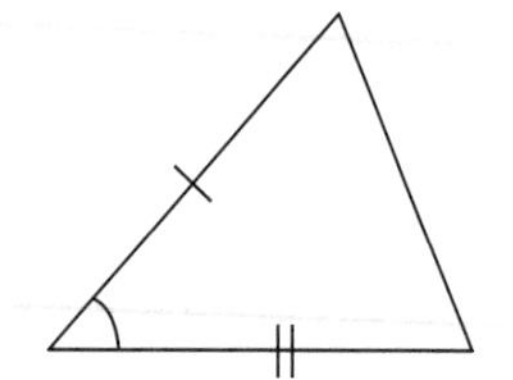

③ 한 쌍의 대응변의 길이가 같고, 그 양 끝 각의 크기가 각각 같을 때(ASA 합동)

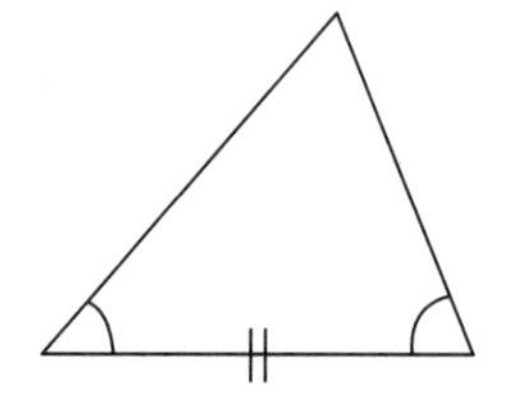

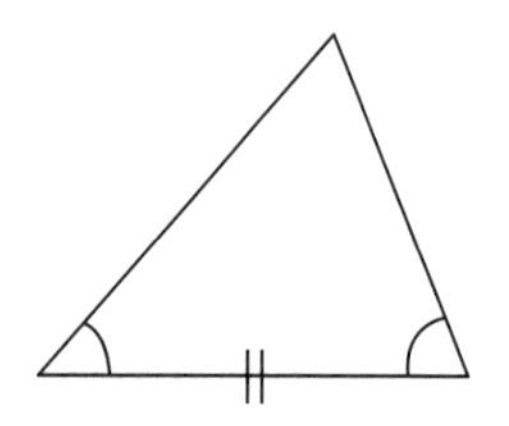

4) 삼각형의 내각의 크기의 합

· $\triangle ABC$에서 $\angle A$, $\angle B$, $\angle C$를 $\triangle ABC$의 내각이라고 하고, 세 내각의 합은 언제나 $180°$이다.

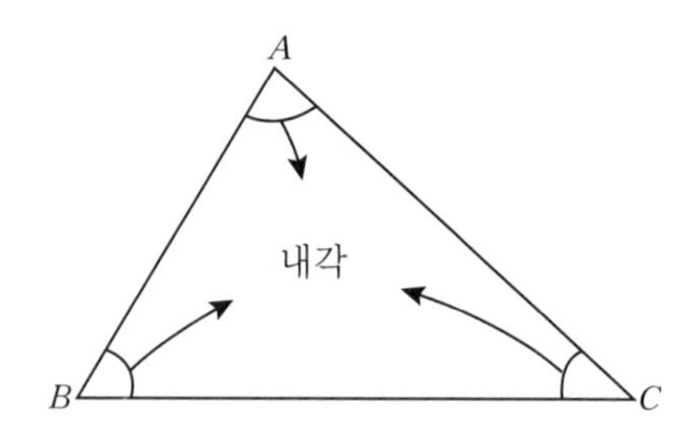

5) 삼각형의 외각의 크기

· 변 BC의 연장선 위에 점 D를 잡으면 $\angle ACD$가 생긴다. 이 각을 $\angle C$의 외각이라 한다.

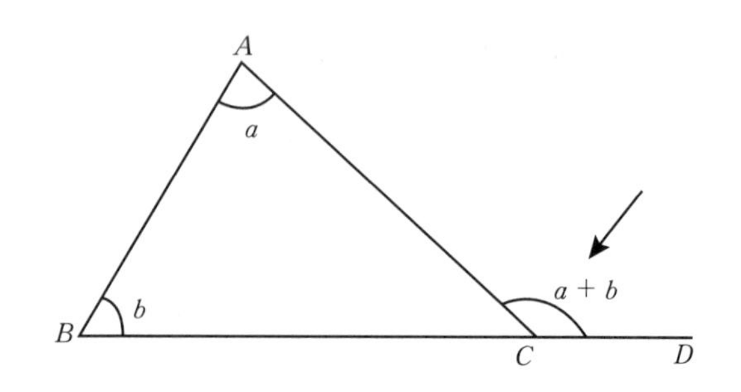

· 삼각형의 한 외각의 크기는 그와 이웃하지 않는 두 내각의 크기의 합과 같다.
· 삼각형의 세 외각의 합은 $360°$이다.

6) 삼각형의 내심과 외심

① 삼각형 ABC에 세 변이 원 I에 접할 때, 원 I는 삼각형 ABC에 내접한다고 한다. 또 원 I를 삼각형 ABC의 내접원이라 하며, 내접원의 중심 I를 삼각형 ABC의 내심이라고 한다.

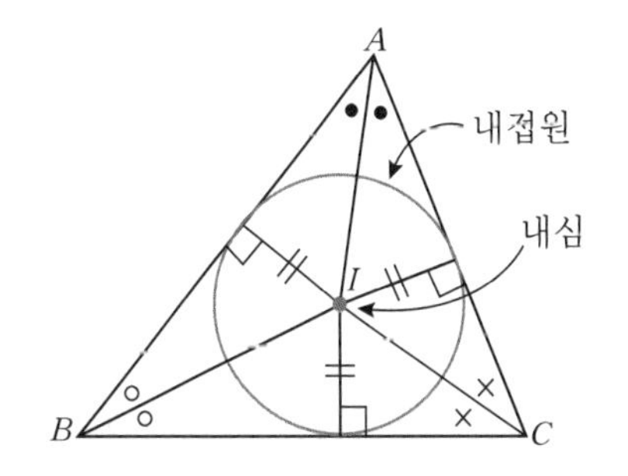

② 삼각형 ABC의 세 꼭짓점이 원 O 위에 있을 때, 원 O는 삼각형 ABC에 외접한다고 한다. 또 원 O를 삼각형 ABC의 외접원이라 하며, 외접원의 중심 O를 삼각형 ABC의 외심이라고 한다.

· 삼각형의 세 변의 수직이등분선은 한 점(외심)에서 만난다.
· 삼각형의 외심에서 세 꼭짓점에 이르는 거리는 같다.

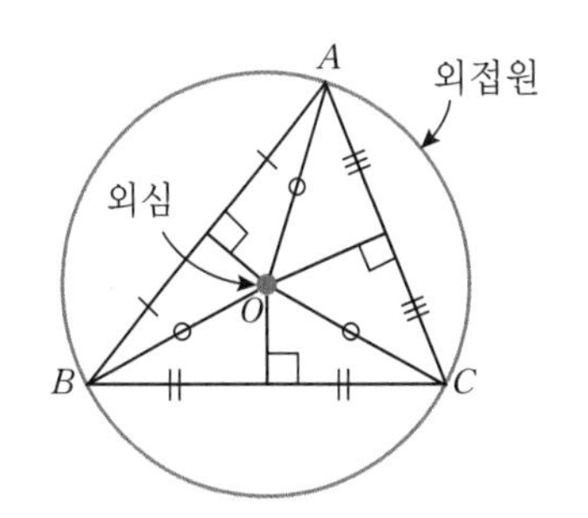

7) 이등변삼각형

① 오른쪽 그림과 같이 두 변의 길이 $\overline{AB} = \overline{AC}$인 삼각형을 이등변삼각형이라 한다.

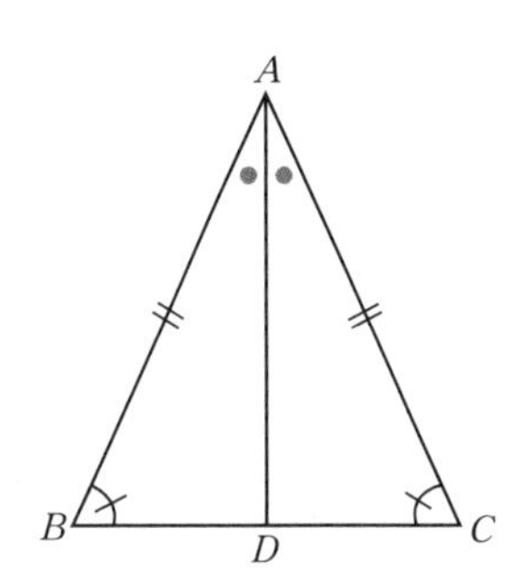

② 이등변삼각형의 성질
· 이등변삼각형의 두 밑각의 크기는 같다.
· 이등변삼각형의 꼭지각의 이등분선은 밑변을 수직이등분한다.

● 기본문제3

01 **다음 그림과 같은 두 직각삼각형 ABC, DEF에서 다음을 구하여라.**

① $\angle F$의 크기

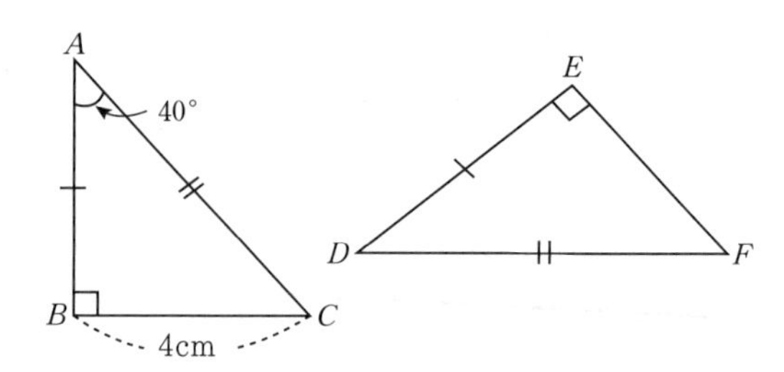

② $\overline{EF}$ 의 길이

02 **다음 그림과 같은 두 직각삼각형 ABC, DEF에서 $\overline{EF}$ 의 길이를 구하여라.**

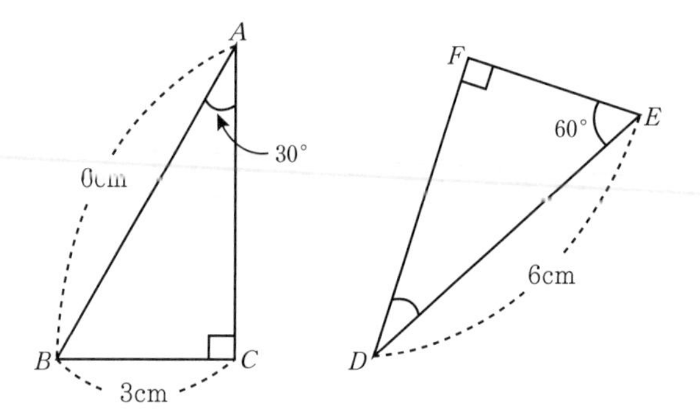

03 **다음 삼각형 ABC에서 x의 값을 구하여라.**

①

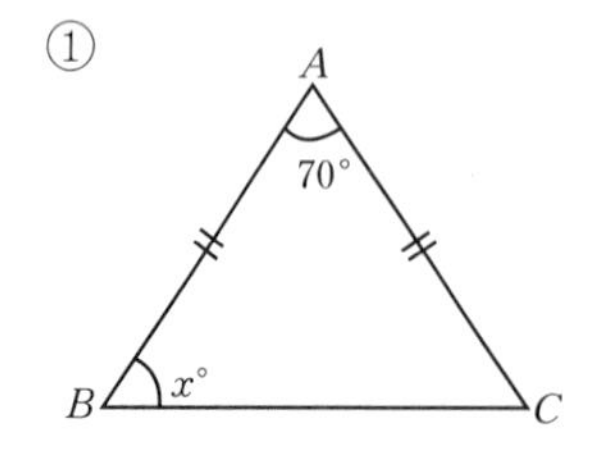

②

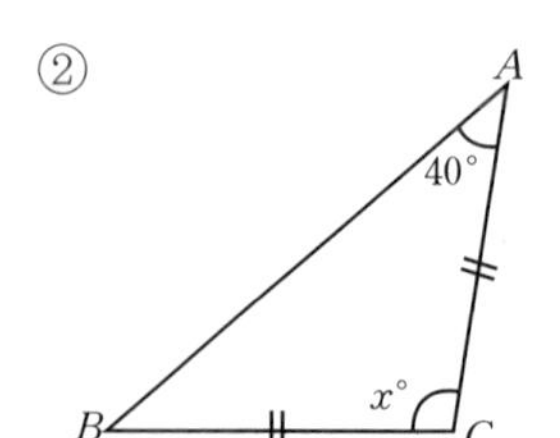

③

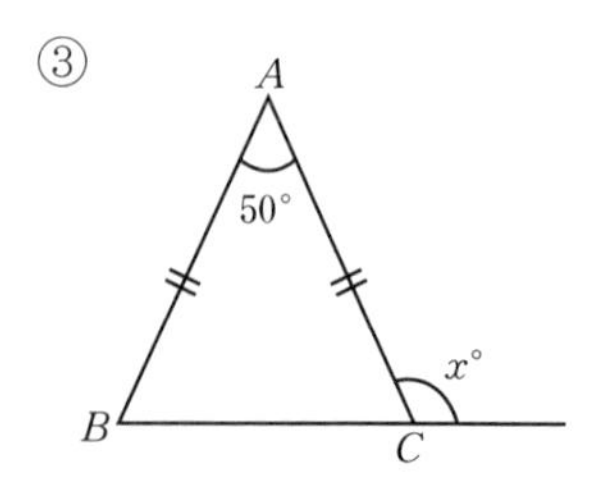

04

오른쪽 그림에서 삼각형 ABC의 외심을 O라고 할 때, 다음을 구하여라.

① $\overline{OA}$ 의 길이

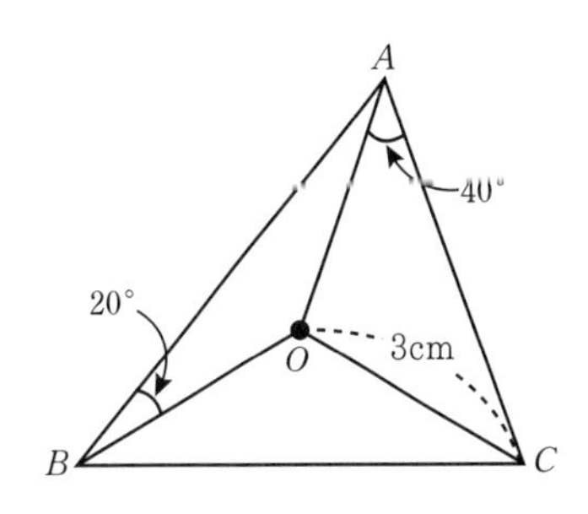

② $\angle OAB$의 크기

③ $\angle OCB$의 크기

05

오른쪽 그림에서 삼각형 ABC의 내심을 I라고 할 때, 다음을 구하여라.

① $\overline{ID}$의 길이

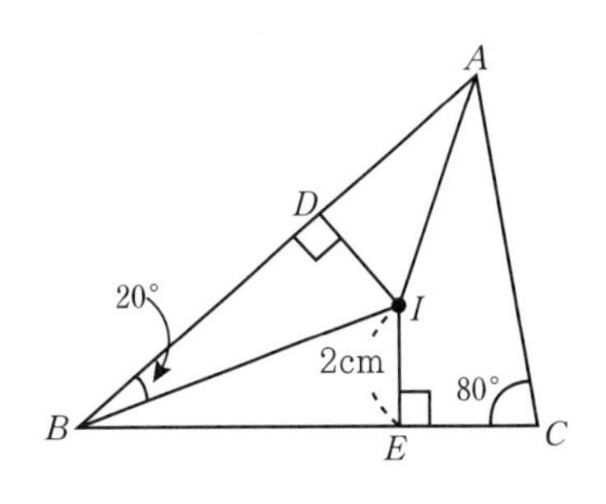

② $\angle IBE$의 크기

③ $\angle AIB$의 크기

06

오른쪽 그림과 같이 $\overline{AB} = \overline{AC}$ 인 이등변삼각형 ABC에서 $\angle A$의 이등분선과 $\overline{BC}$ 의 교점을 D라고 하자. $\overline{BD} = 3\,\text{cm}$이고 $\angle A = 46°$일 때, 다음을 구하여라.

① $\angle C$의 크기

② $\angle ADB$의 크기

③ $\overline{CD}$ 의 길이

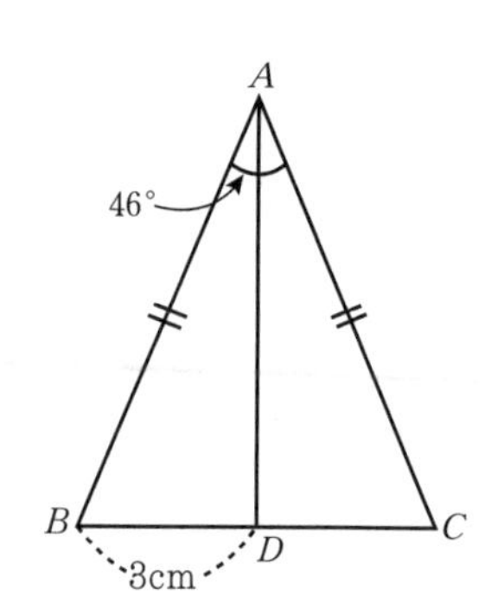

01. ① 50° ② 4cm
02. 3cm
03. ① 55 ② 100 ③ 115
04. ① 3cm ② 20° ③ 30°
05. ① 2cm ② 20° ③ 130°
06. ① 67° ② 90° ③ 3cm

Exercises 7

단원문제 7

01 다음 x의 크기를 구하면?

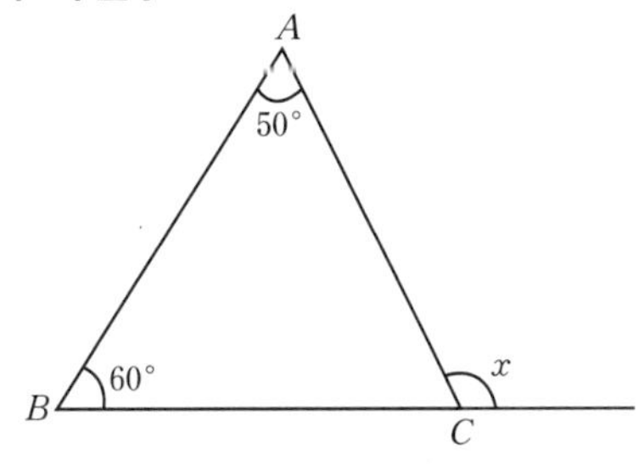

① $100°$　　② $110°$
③ $120°$　　④ $130°$

02 다음 x의 크기를 구하면?

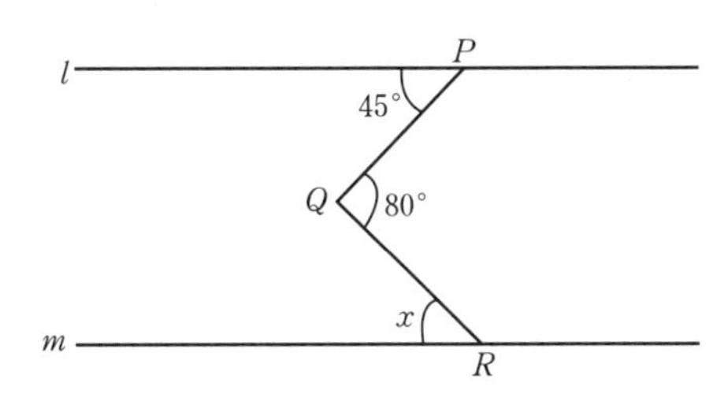

① $30°$　　② $35°$
③ $40°$　　④ $45°$

03 다음 그림과 같은 이등변삼각형 ABC에서 $\angle A$의 크기를 구하면?

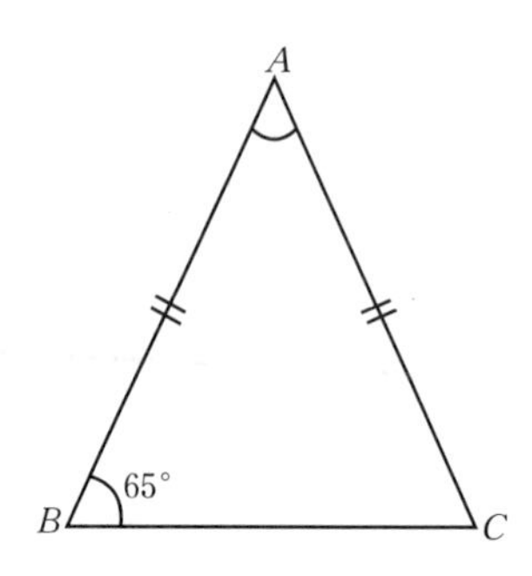

① 30° ② 50°

③ 70° ④ 90°

04 다음 그림과 같은 $\overline{AB} = \overline{AC}$ 인 이등변삼각형 ABC에서 $\angle ACD = 106°$일 때, $\angle A$의 크기는?

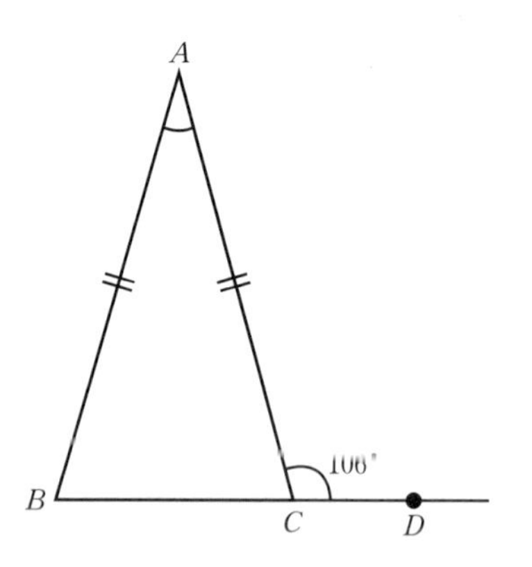

① 30° ② 32°

③ 34° ④ 36°

05

다음 그림에서 점 O가 $\triangle ABC$의 외심일 때, $\angle x$의 크기를 구하면?

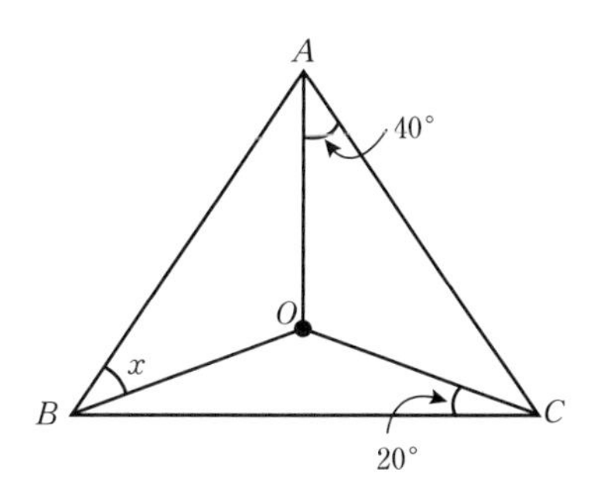

① 20° ② 30°
③ 40° ④ 50°

06

다음 그림에서 점 I가 $\triangle ABC$의 내심일 때, x의 크기를 구하면?

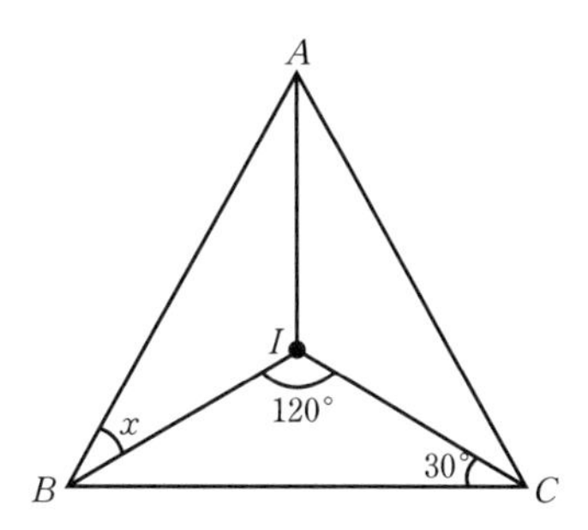

① 10° ② 20°
③ 30° ④ 40°

정답 177쪽

Mathematics

08

사각형의 성질

08 사각형의 성질

1 평행사변형

1) 평행사변형이 되는 조건

다음 조건 중 어느 하나를 만족하는 사각형은 평행사변형이다.

① 두 쌍의 대변이 각각 평행하다.

② 두 쌍의 대변의 길이가 각각 같다.

③ 두 쌍의 대각의 크기가 각각 같다.

④ 한 쌍의 대변이 평행하고, 그 길이가 같다.

⑤ 두 대각선이 서로를 이등분한다.

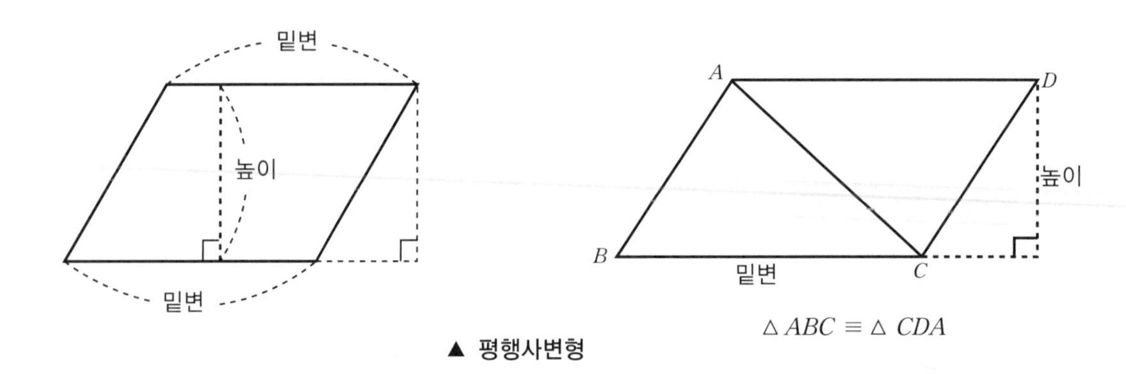

▲ 평행사변형

● 기본문제1

01 **다음 그림에서 사각형 $ABCD$가 평행사변형일 때 x, y의 값을 구하면?**

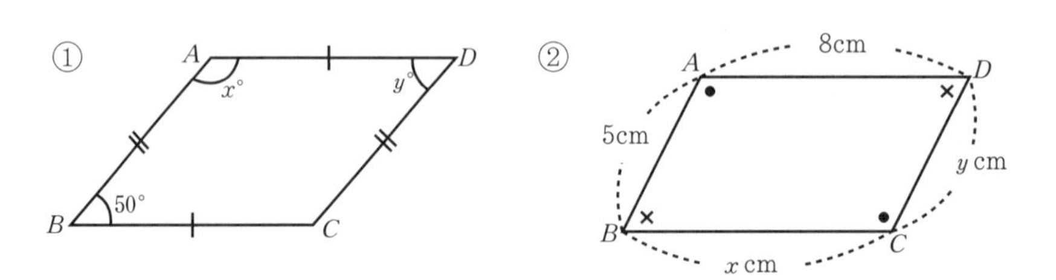

02 **다음 그림에서 사각형 $ABCD$가 평행사변형일 때 x, y의 값을 구하면?**

① 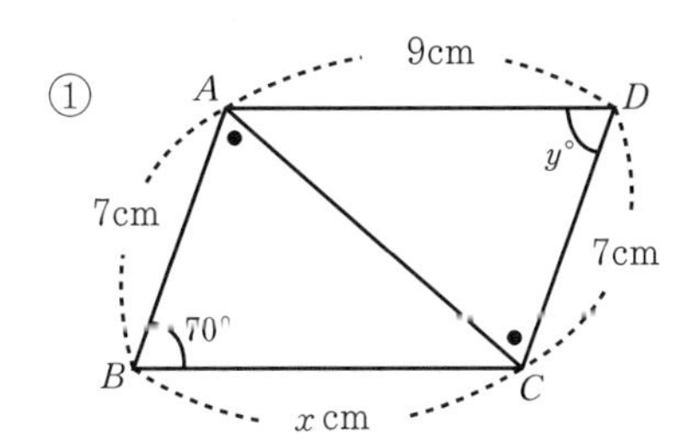

② 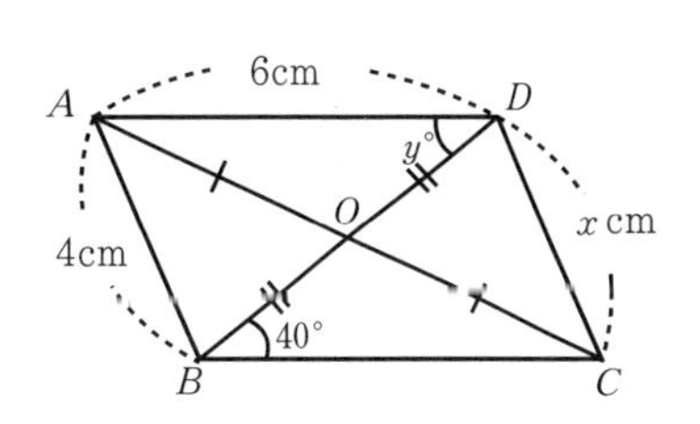

01. ① $x = 130,\ y = 50$ ② $x = 8,\ y = 5$
02. ① $x = 9,\ y = 70$ ② $x = 4,\ y = 40$

2 여러 가지 사각형

1) 직사각형

직사각형은 네 각의 크기가 모두 같은 사각형이므로 평행사변형이다. 따라서 직사각형은 평행사변형의 성질을 모두 만족하므로 직사각형의 두 대각선은 서로를 이등분한다.

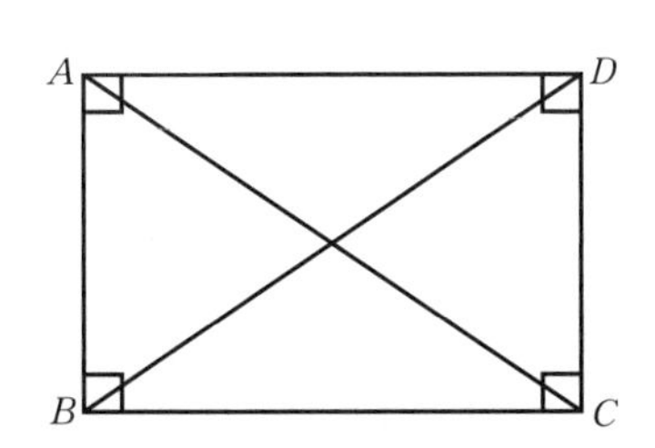

2) 마름모

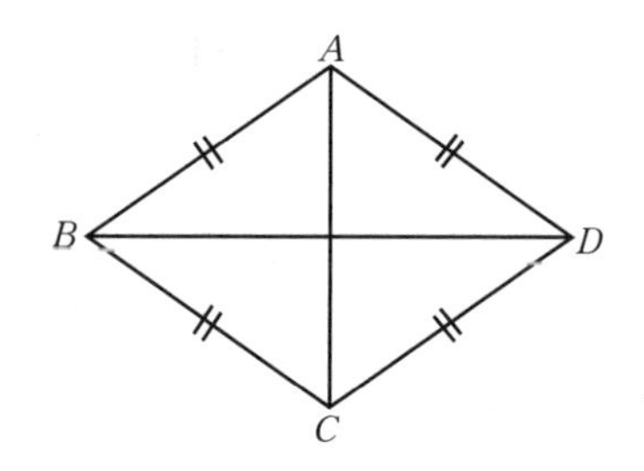

마름모는 네 변의 길이가 모두 같은 사각형이므로 평행사변형이다. 따라서 마름모는 평행사변형의 성질을 모두 만족하므로 마름모의 두 대각선은 서로를 수직이등분한다.

3) 정사각형

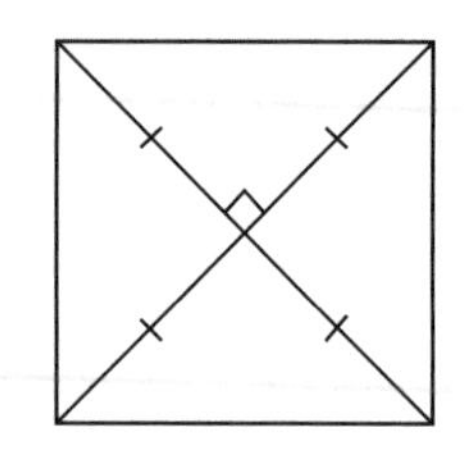

정사각형은 네 각의 크기가 모두 같고 네 변의 길이가 모두 같은 사각형이므로, 직사각형과 마름모의 성질을 모두 만족한다. 따라서 정사각형의 두 대각선은 길이가 같고, 서로를 수직이등분한다.

4) 사다리꼴

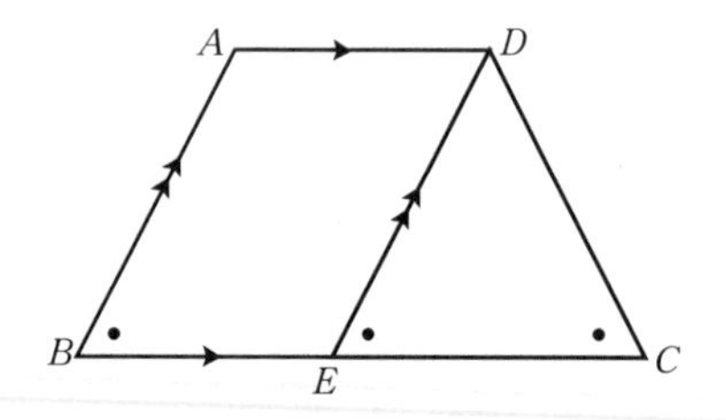

사다리꼴은 한 쌍의 대변이 평행한 사각형이다. 특히 사다리꼴 중에서 아랫변의 양 끝 각의 크기가 같은 사다리꼴을 등변사다리꼴이라고 한다.

5) 여러 가지 사각형 사이의 관계

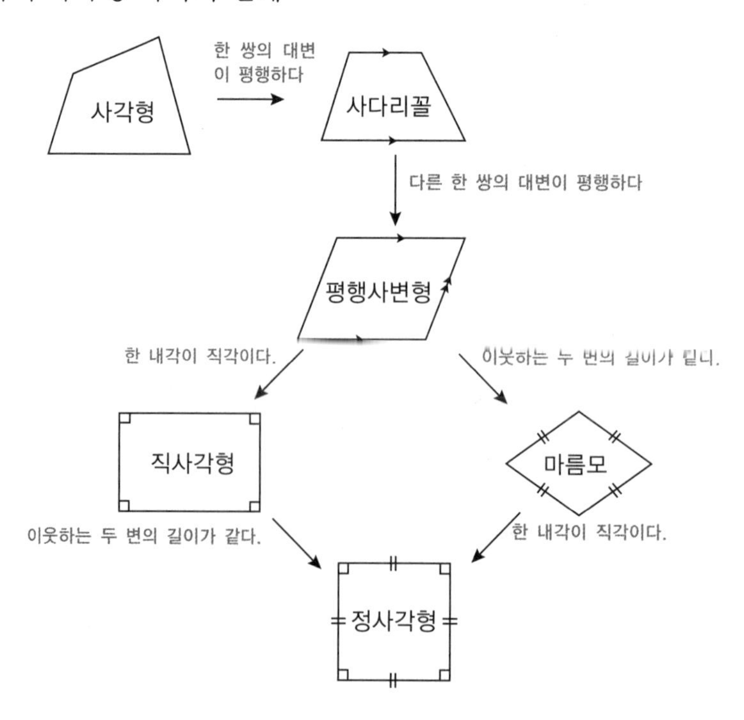

● 기본문제2

01 **다음 직사각형 $ABCD$에서 x, y의 값을 구하여라.**

①

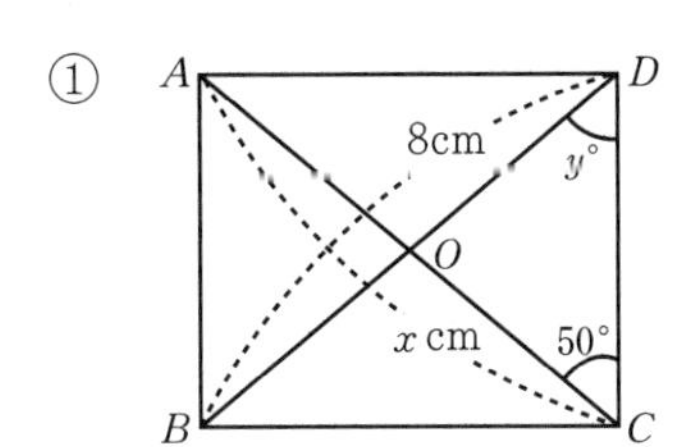

②

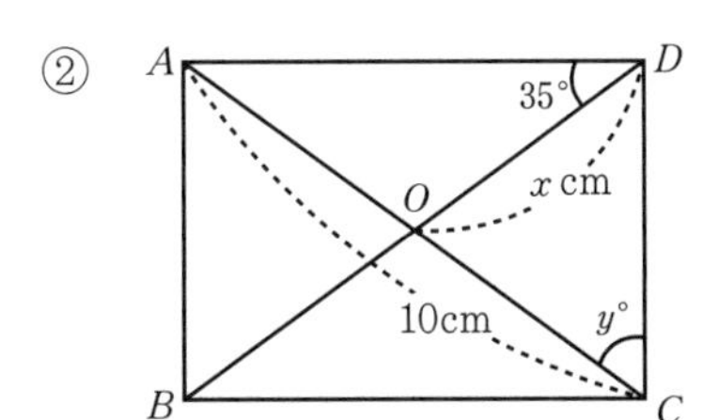

02 **오른쪽 사각형 $ABCD$가 마름모일 때, 다음을 구하여라.**

① $\overline{BO}$ 의 길이

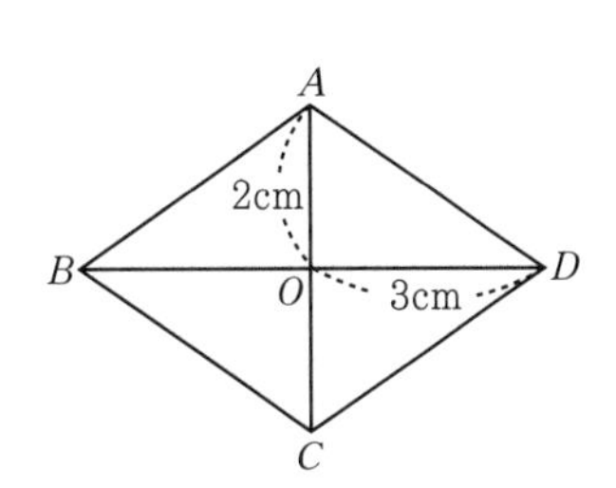

② 사각형 $ABCD$의 넓이

03

오른쪽 정사각형 $ABCD$에서 두 대각선의 교점을 O라고 할 때, 다음을 구하여라.

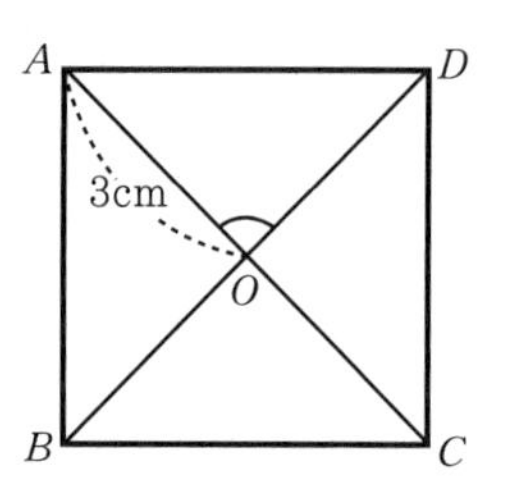

① $\overline{BD}$ 의 길이

② $\angle AOD$의 크기

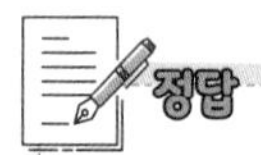

01. ① $x = 8,\ y = 50$ ② $x = 5,\ y = 55$
02. ① 3cm ② 12cm²
03. ① 6cm ② 90°

Exercises 8

단원문제 8

01 **다음 중 평행사변형의 정의로 옳은 것은?**

① 한 쌍의 대변이 평행하고 그 길이가 같은 사각형

② 네 변의 길이가 같은 사각형

③ 네 각이 모두 직각인 사각형

④ 서로 마주보는 두 쌍의 대변이 각각 평행한 사각형

02 **다음 그림과 같은 평행사변형 $ABCD$에서 $\angle A$의 크기를 구하면?**

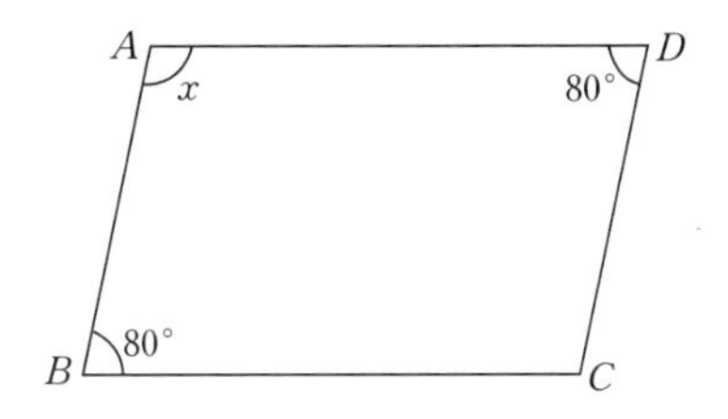

① 60° ② 80°

③ 100° ④ 120°

03 **다음 그림에서 $\square ABCD$가 직사각형일 때, x의 값을 구하면?**

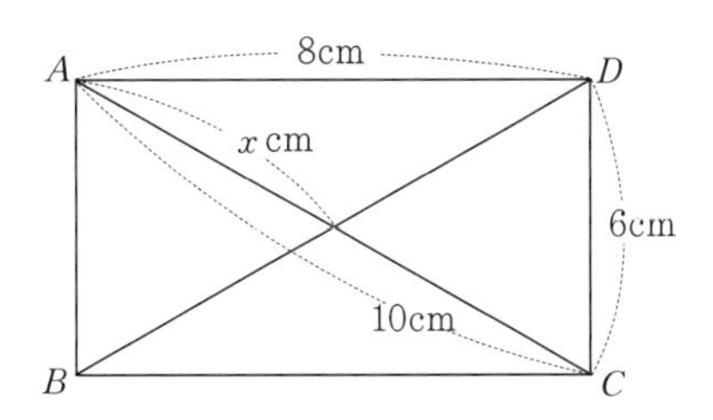

① 5 ② 6

③ 7 ④ 8

04 다음 그림과 같은 직사각형 $ABCD$에서 $\angle x$의 크기를 구하면?

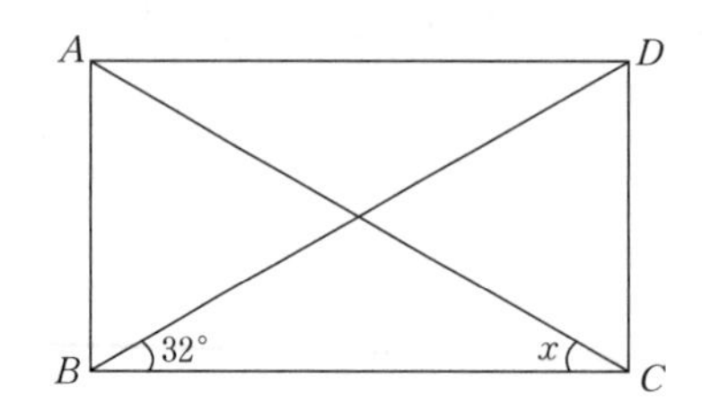

① 30° ② 32°

③ 35° ④ 40°

05 다음 그림의 사각형이 마름모일 때, x의 값을 구하면?

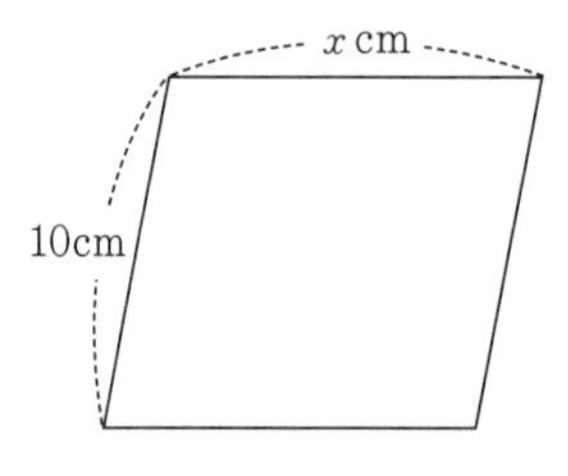

① 6 ② 8

③ 10 ④ 12

06

다음 그림에서 □$ABCD$가 마름모일 때, $\angle x + \angle y$의 크기는?

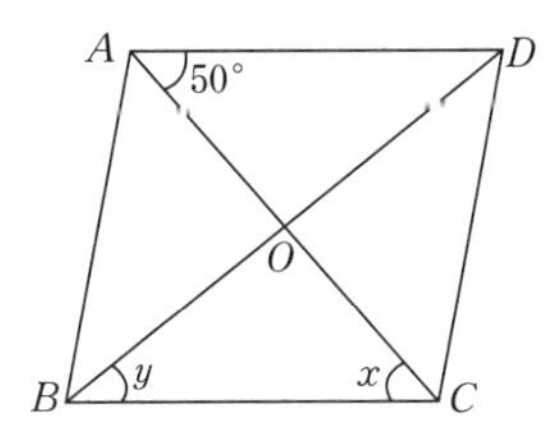

① 60°　　② 70°

③ 80°　　④ 90°

07

다음 그림에서 □$ABCD$가 $\overline{AD} \,/\!/\, \overline{BC}$ 인 등변사다리꼴일 때, x의 값을 구하면?

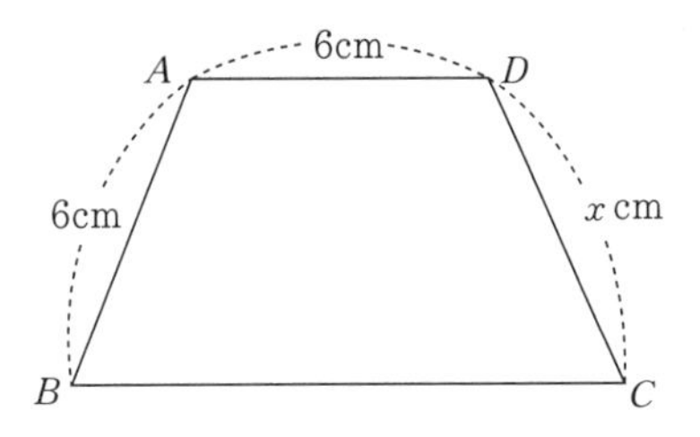

① 6　　② 8

③ 10　　④ 12

08 다음 그림에서 $\square ABCD$가 $\overline{AD} \mathbin{/\!/} \overline{BC}$인 등변사다리꼴일 때, $\angle x$의 값을 구하면?

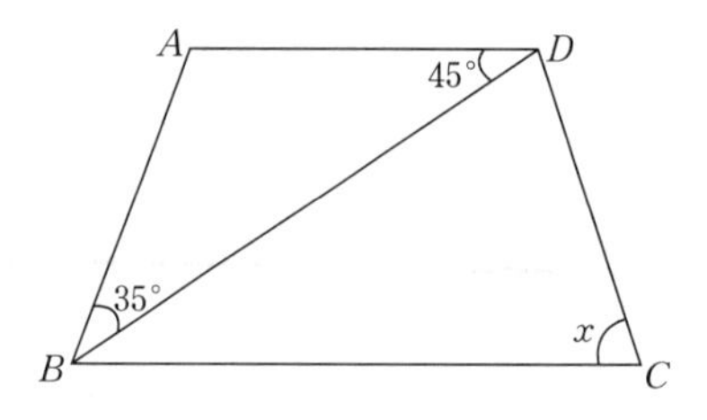

① $80°$ ② $90°$

③ $100°$ ④ $110°$

09 다음 그림과 같은 정사각형 $ABCD$에서 $\angle ACB = 45°$일 때, $\angle x + \angle y$의 크기는? (단, 점 O는 두 대각선의 교점이다.)

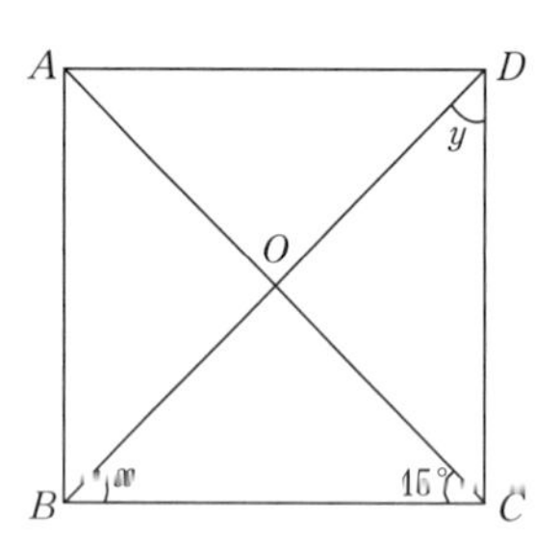

① $80°$ ② $85°$

③ $90°$ ④ $95°$

10 다음 그림에서 $\square ABCD$가 정사각형일 때, x의 값을 구하면?

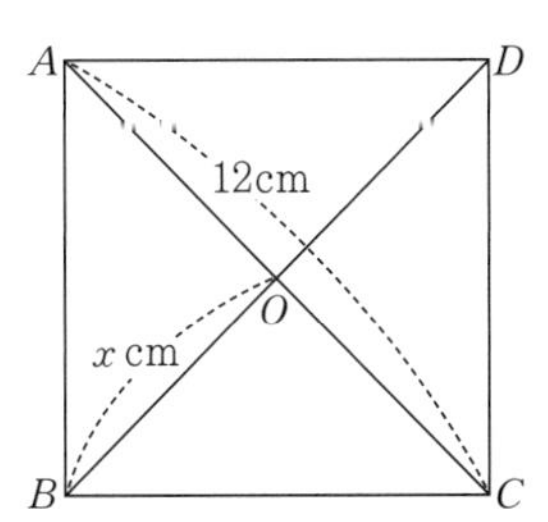

① 6 ② 7
③ 8 ④ 9

※ 다음 명제가 참이면 ○표, 거짓이면 ×표 하여라.

11 마름모는 평행사변형이다. (   )

12 정사각형은 평행사변형이다. (   )

13 직사각형은 마름모이다. (   )

정답 177쪽

Mathematics

09

닮음꼴

1. 도형의 닮음
2. 닮음의 활용
3. 단원문제(9)

09 닮음꼴

1 도형의 닮음

1) 도형의 닮음

다음 그림에서 삼각형 DEF는 삼각형 ABC의 각 변의 길이를 일정한 비율로 확대한 것이다.

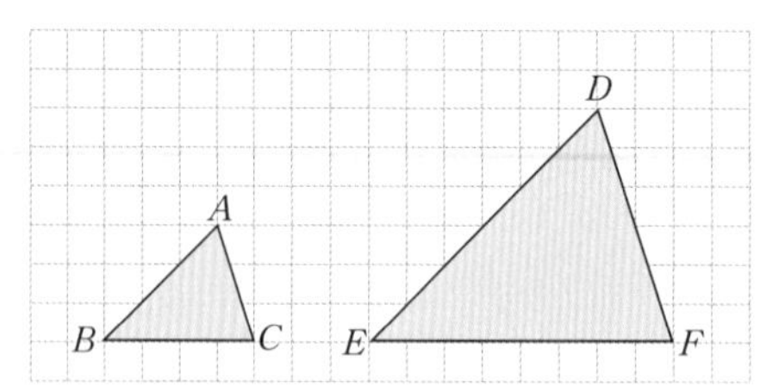

이때 $\triangle ABC$와 $\triangle DEF$는 닮은 도형이고, 꼭짓점 A와 D, 꼭짓점 B와 E, 꼭짓점 C와 F는 각각 대응점, $\overline{AB}$와 $\overline{DE}$, $\overline{BC}$와 $\overline{EF}$, $\overline{CA}$와 $\overline{FD}$는 각각 대응변, $\angle A$와 $\angle D$, $\angle B$와 $\angle E$, $\angle C$와 $\angle F$는 각각 대응각이다. $\triangle ABC$와 $\triangle DEF$가 닮은 도형일 때, 이것을 기호 $\backsim$를 사용하여

$$\triangle ABC \backsim \triangle DEF$$

와 같이 나타낸다. 두 도형이 닮음임을 기호로 나타낼 때, 두 도형의 꼭짓점이 대응하는 순서대로 쓴다.

2) 평면도형에서 닮음의 성질

닮은 두 평면도형에서

① 대응변의 길이의 비는 일정하다.

② 대응각의 크기는 각각 같다.

3) 삼각형의 닮음조건

두 삼각형 ABC와 $A'B'C'$는 다음 각 경우에 닮은 도형이다.

① 세 쌍의 대응변의 길이의 비가 같을 때

$a:a' = b:b' = c:c'$

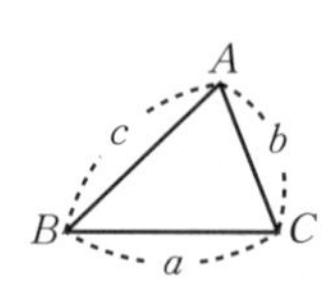

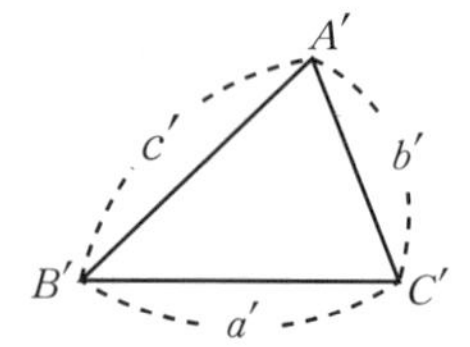

② 두 쌍의 대응변의 길이의 비가 같고 그 끼인 각의 크기가 같을 때

$a : a' = c : c'$, $\angle B = \angle B'$

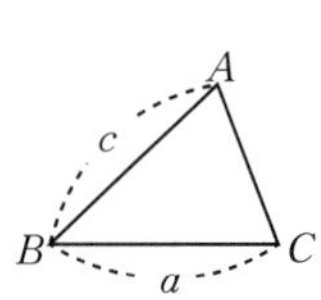

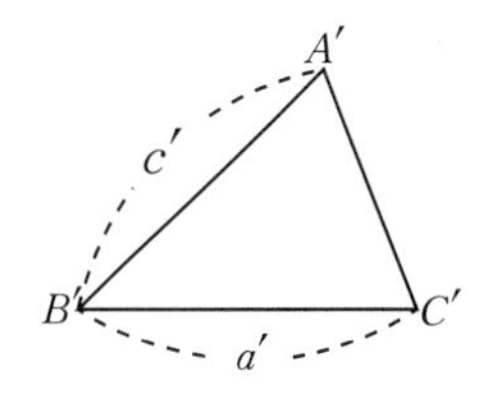

③ 두 쌍의 대응각의 크기가 각각 같을 때

$\angle B = \angle B'$, $\angle C = \angle C'$

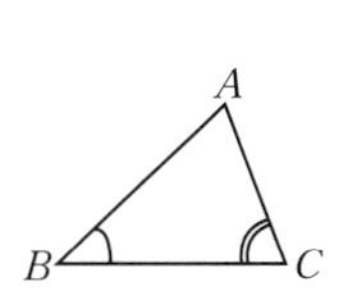

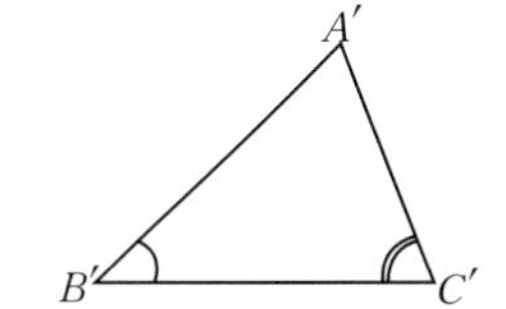

● 기본문제1

01 **다음 그림에서 $\triangle ABC \backsim \triangle DEF$ 일 때, 다음을 구하여라.**

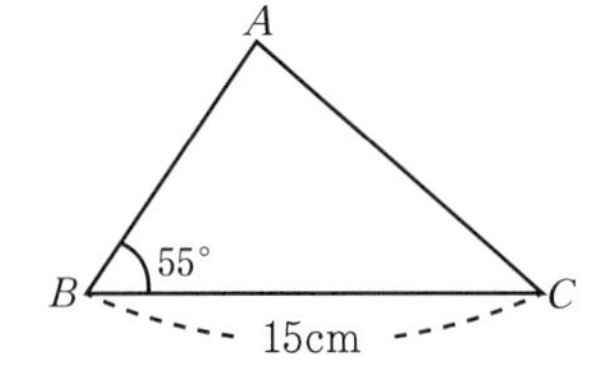

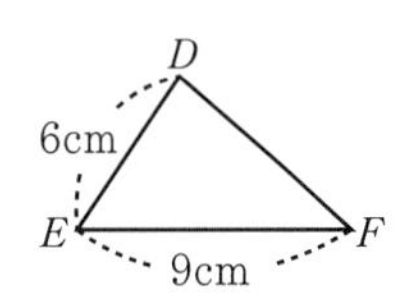

① $\triangle ABC$와 $\triangle DEF$의 닮음비

② $\overline{AB}$ 의 길이

③ $\angle E$의 크기

02

다음 그림에서 $\square ABCD \backsim \square EFGH$ 일 때, 다음을 구하여라.

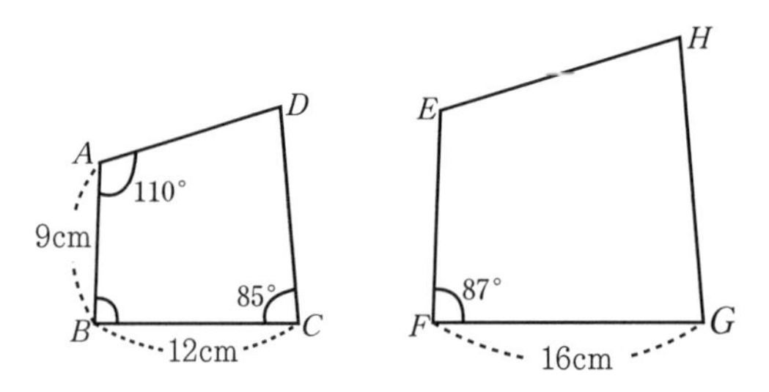

① $\square ABCD$와 $\square EFGH$의 닮음비

② $\overline{EF}$ 의 길이

③ $\angle H$의 크기

03

다음 그림에서 $\triangle ABC \backsim \triangle DEF$ 일 때, 다음을 구하여라.

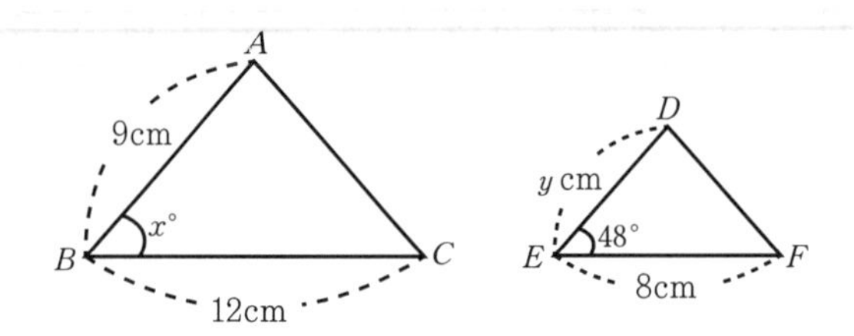

① $\triangle ABC$와 $\triangle DEF$의 닮음비

② x, y의 값

01. ① 5 : 3 ② 10cm ③ 55°

02. ① 3 : 4 ② 12cm ③ 78°

03. ① 3 : 2 ② $x = 48$, $y = 6$

2 닮음의 활용

1) 삼각형에서 평행선에 의하여 생기는 선분의 길이의 비

삼각형 ABC에서 변 BC에 평행한 직선과 두 변 AB, AC 또는 그 연장선의 교점을 각각 D, E라고 하면

① $\overline{AB} : \overline{AD} = \overline{AC} : \overline{AE} = \overline{BC} : \overline{DE}$

② $\overline{AD} : \overline{DB} = \overline{AE} : \overline{EC}$

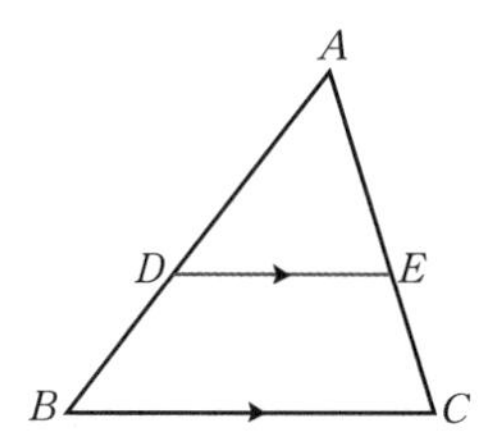

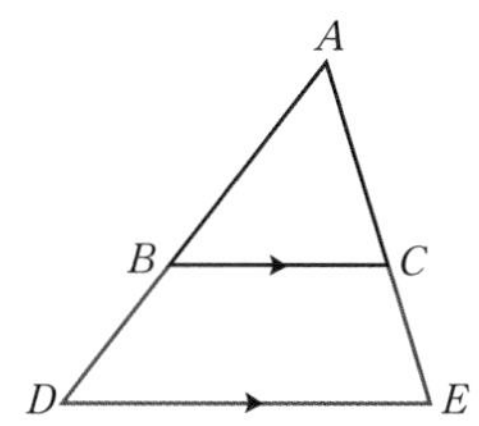

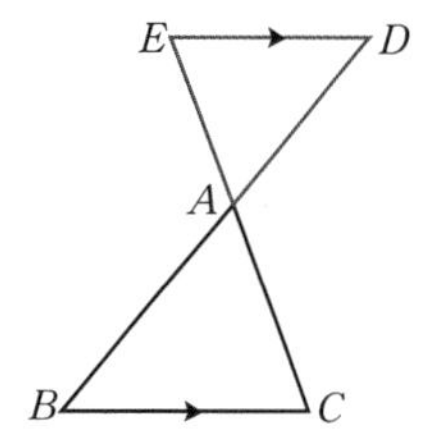

2) 평행선 사이에 있는 선분의 길이의 비

세 개 이상의 평행선이 다른 두 직선과 만날 때, 평행선 사이에 생기는 선분의 길이의 비는 같다.

즉 오른쪽 그림에서 $l \,/\!/\, m \,/\!/\, n$이면

$$a : b = a' : b'$$

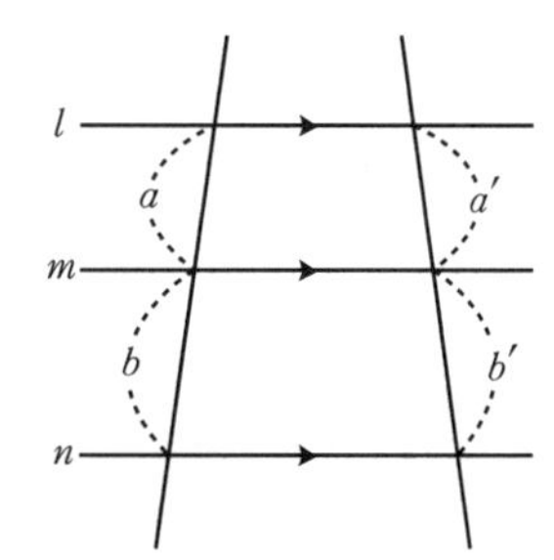

3) 삼각형의 중점연결 정리

오른쪽 삼각형 ABC에서 두 변 AB, AC의 중점을 각각 M, N이라고 하면

$$\overline{AB} : \overline{AM} = \overline{AC} : \overline{AN} = 2 : 1$$

이므로

$$\overline{BC} \,/\!/\, \overline{MN}$$

임을 알 수 있다.

또 $\overline{BC} : \overline{MN} = \overline{AB} : \overline{AM} = 2 : 1$이므로

$$\overline{MN} = \frac{1}{2}\overline{BC}$$

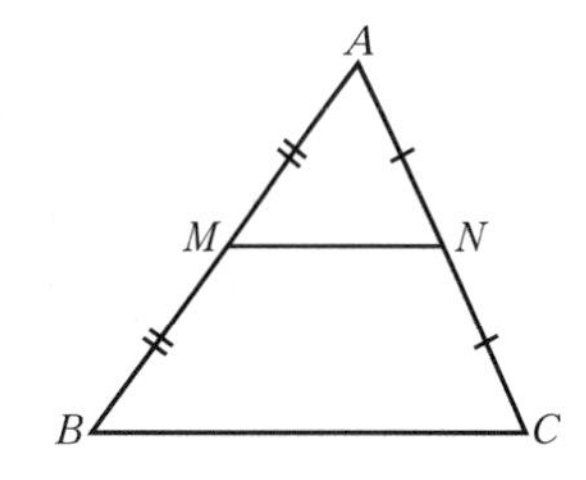

4) 삼각형의 중선

① 중선 : 삼각형의 한 꼭짓점과 그 대변의 중점을 이은 선분 (한 삼각형에는 세 개의 중선이 있다.)

② 중선의 성질 : 중선은 삼각형의 넓이를 이등분한다.

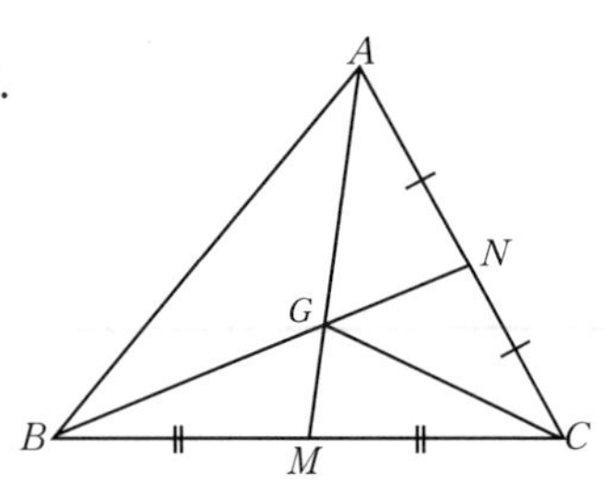

5) 삼각형의 무게중심

· 삼각형의 세 중선은 무게중심에서 만나고, 무게중심은 세 중선의 길이를 각 꼭짓점으로부터 각각 2 : 1 로 나눈다.

즉, $\overline{AG}:\overline{GD} = \overline{BG}:\overline{GE} = \overline{CG}:\overline{GF} = 2:1$

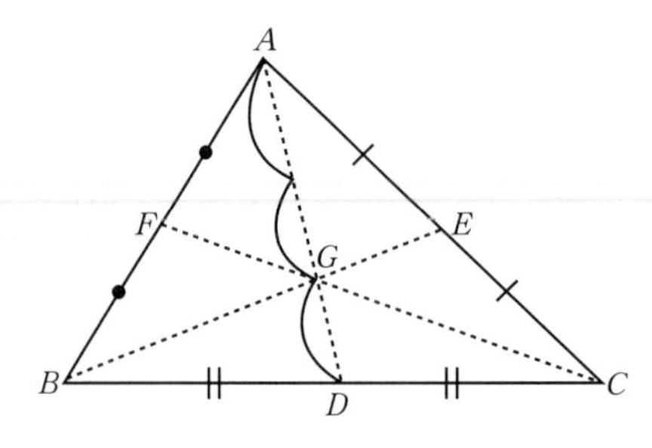

6) 닮은 평면도형의 넓이의 비

· 닮은 두 평면도형의 넓이의 비는 닮음비의 제곱과 같다.

즉, 닮음비가 $m:n$이면 넓이의 비는 $m^2:n^2$ 이다.

7) 닮은 입체도형의 부피의 비

· 닮은 두 입체도형의 부피의 비는 닮음비의 세제곱과 같다.

즉, 닮음비가 $m:n$이면 부피의 비는 $m^3:n^3$ 이다.

● 기본문제2

01 다음 그림에서 $\overline{BC} \,/\!/\, \overline{DE}$ 일 때, x의 값을 구하여라.

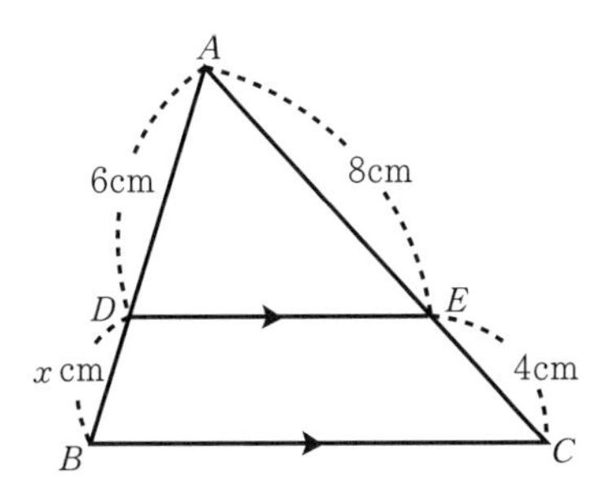

02 다음 그림에서 $l \,/\!/\, m \,/\!/\, n$ 일 때, x의 값을 구하여라.

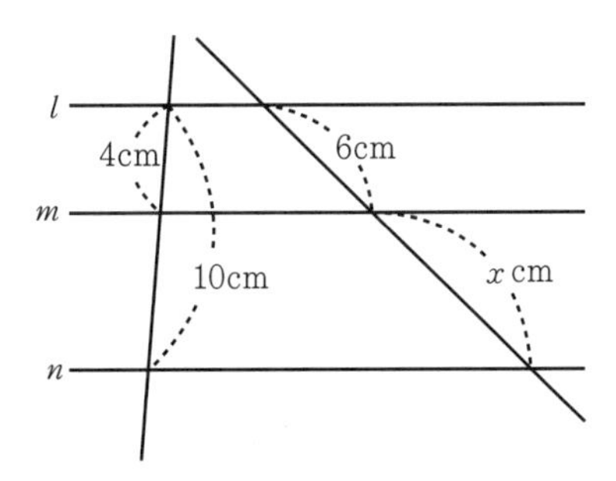

03 다음 x의 길이를 구하면?

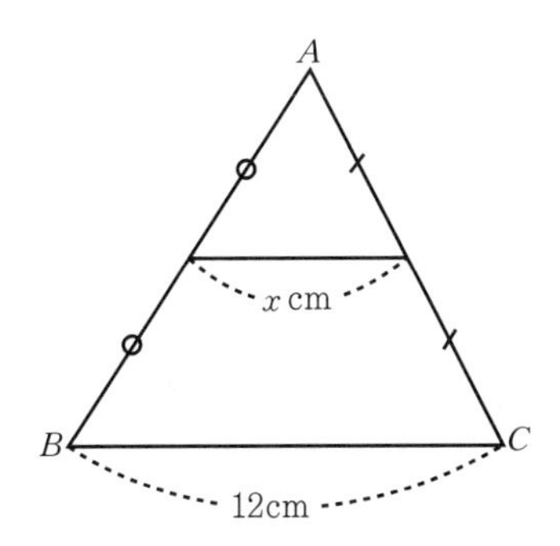

04

삼각형 ABC의 넓이가 48cm^2 일 때, 삼각형 BGD의 넓이는?

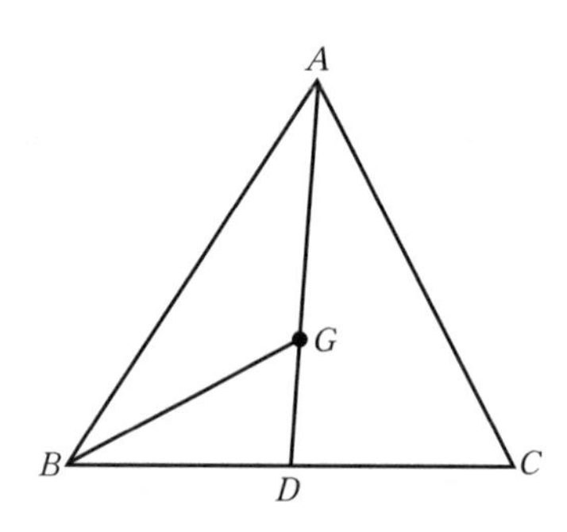

05

길이의 비가 $3:2$일 때, 넓이의 비는?

06

길이의 비가 $1:2$일 때, 부피의 비는?

01. $x=3$
02. $x=9$
03. $x=6$
04. 8cm^2
05. $9:4$
06. $1:8$

Exercises 9

단원문제 9

01 다음 사각형 $ABCD$와 사각형 $EFGH$는 $1:3$으로 닮음꼴일 때, x의 길이를 구하면?

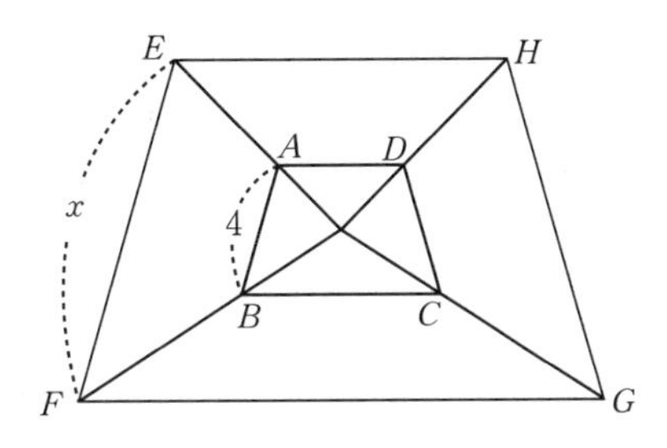

① 6　　② 8

③ 10　　④ 12

02 다음 두 도형이 닮음꼴일 때, 사각형 $ABCD$의 선분 CD의 길이가 4이면, 사각형 $EFGH$의 $\overline{GH}$ 의 길이는?

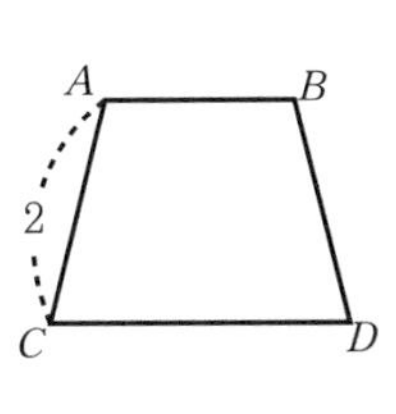

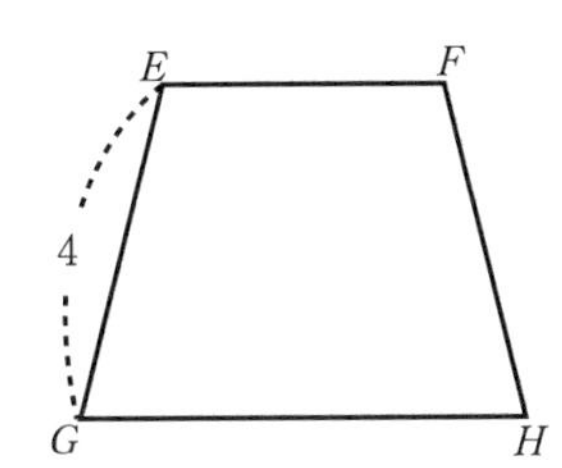

① 4　　② 8

③ 10　　④ 12

03 다음 그림에서 $\overline{AB}$, $\overline{AC}$ 의 중점을 각각 M, N이라 하자. $\overline{MN} = 8\text{cm}$일 때, x의 값은?

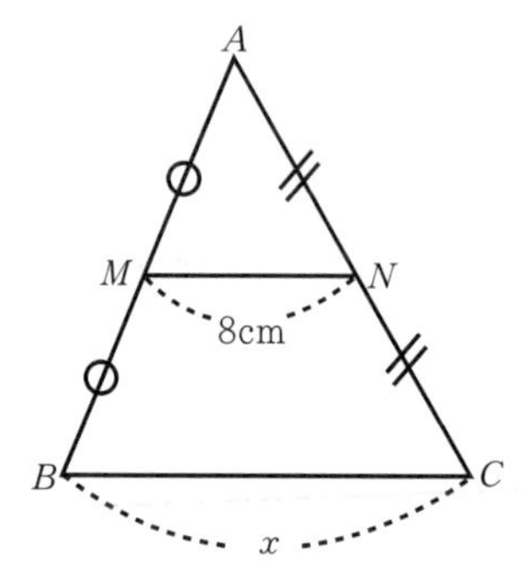

① 4cm
② 8cm
③ 10cm
④ 16cm

04 다음 그림에서 점 G는 $\triangle ABC$의 무게중심이다. $\triangle ABC = 12\text{cm}^2$일 때, 색칠한 부분의 넓이를 구하면?

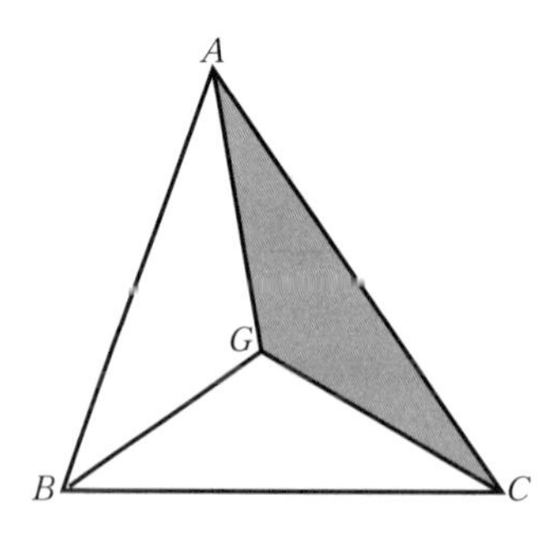

① 4cm^2
② 6cm^2
③ 8cm^2
④ 10cm^2

05 다음 그림과 같이 밑면의 가로의 길이가 각각 3cm, 5cm인 두 직육면체 A, B는 서로 닮음이다. 직육면체 A의 겉넓이가 90cm^2일 때, 직육면체 B의 겉넓이는?

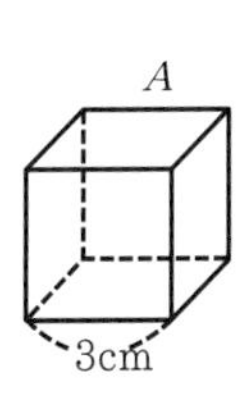

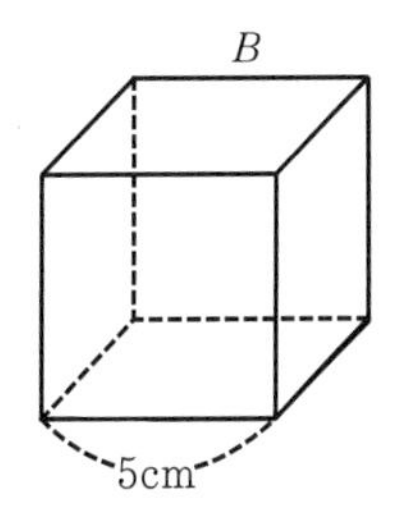

① 210cm^2　② 240cm^2
③ 250cm^2　④ 270cm^2

06 다음 두 정육면체 A, B는 서로 닮은 도형이다. 부피의 비는?

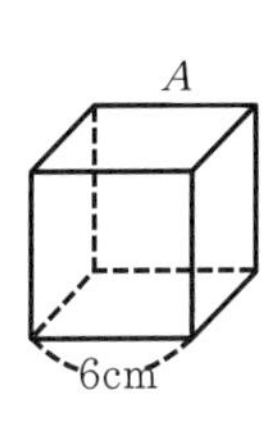

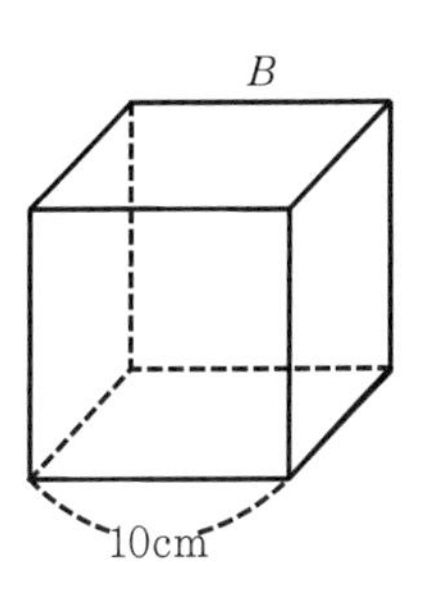

① $3:5$　② $9:25$
③ $27:125$　④ $81:625$

정답 177쪽

Mathematics

10

피타고라스의 정리

10 피타고라스의 정리

1 피타고라스의 정리

1) 정의

직각삼각형에서 직각을 낀 두 변의 길이의 제곱의 합은 빗변의 길이의 제곱과 같다.

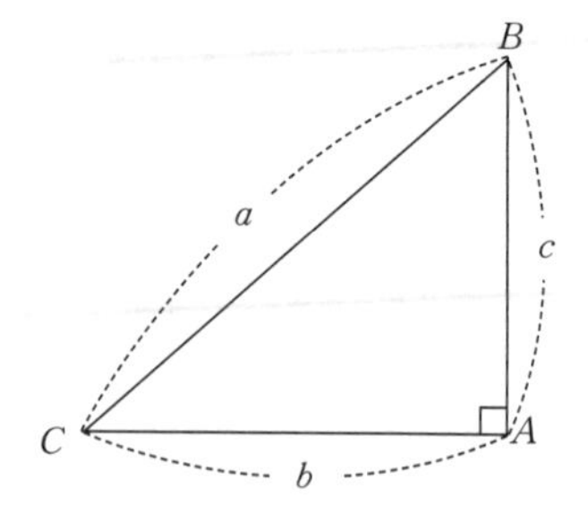

$\triangle ABC$에서 $\angle A = 90°$이면

$$a^2 = b^2 + c^2$$

↑ 빗변 ↑ ↑ 직각을 낀 두 변

[**예시**] 직각삼각형 ABC에서

$x^2 = 5^2 + 12^2 = 25 + 144 = 169$

$x = \sqrt{169} = 13$

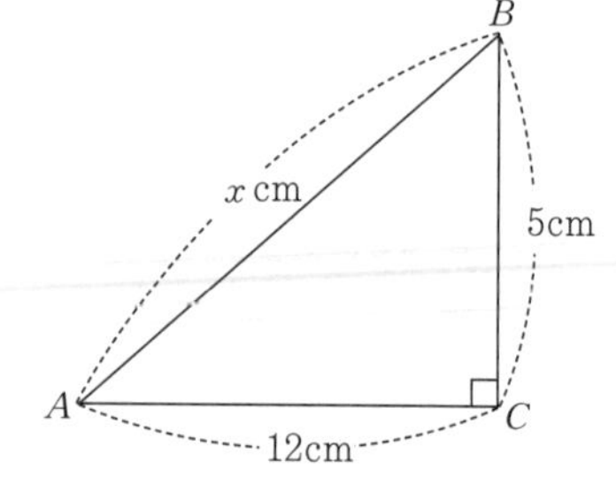

● 기본문제1

01 **다음 x의 길이를 구하시오.**

①

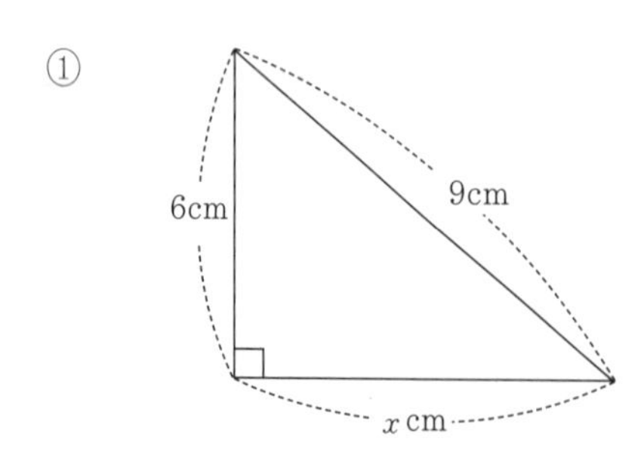

②

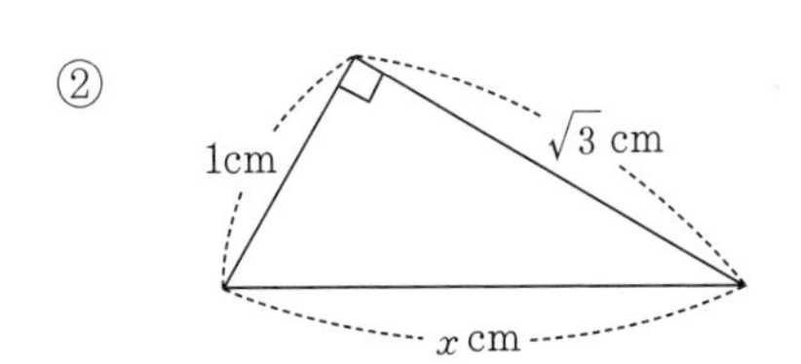

02

다음 〈보기〉 중에서 직각삼각형을 모두 고르시오.

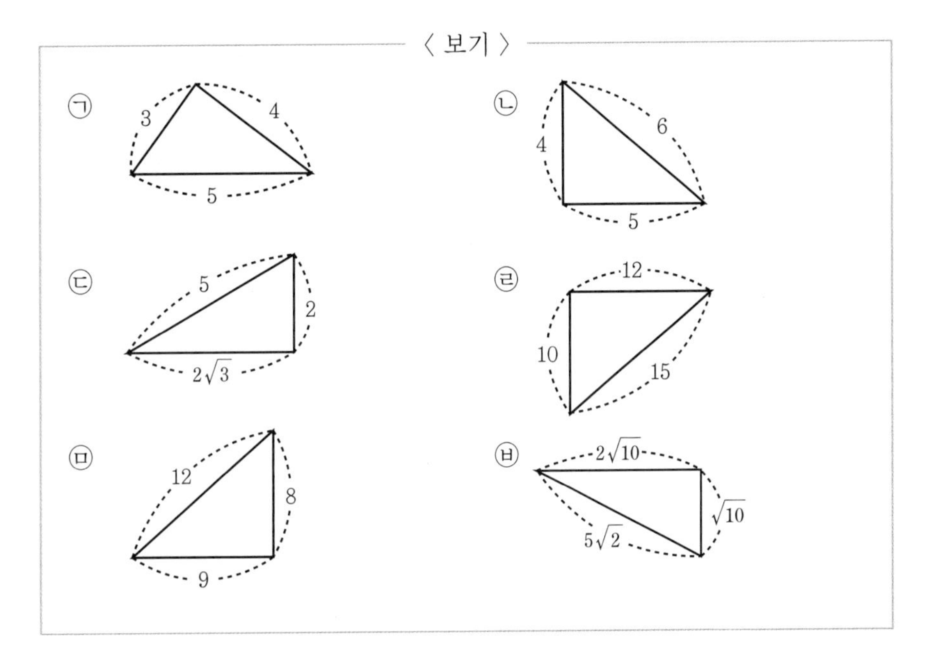

01. ① $3\sqrt{5}$ ② 2
02. ㉠, ㉥

2 피타고라스의 정리의 활용

1) 평면도형에서의 활용

· 다음 그림과 같이 가로의 길이가 a, 세로의 길이가 b인 직사각형 $ABCD$의 대각선 BD의 길이를 l이라고 하자. $\triangle BCD$는 직각삼각형이므로 피타고라스 정리에 의하여 $l^2 = a^2 + b^2$이다.

그런데 $l > 0$이므로 직사각형의 대각선의 길이 $l = \sqrt{a^2 + b^2}$이다.

특히 한 변의 길이가 a인 정사각형의 대각선의 길이 l은 다음과 같다.

$$l = \sqrt{a^2 + a^2} = \sqrt{2a^2} = \sqrt{2}\,a$$

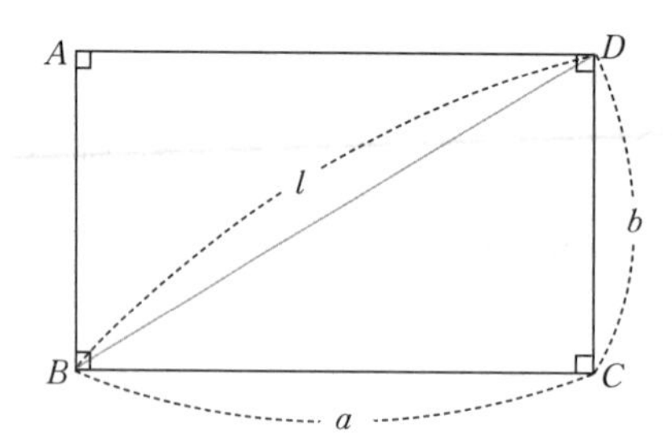

2) 정삼각형의 높이와 넓이

· 다음 그림과 같이 한 변의 길이가 a인 정삼각형 ABC의 꼭짓점 A에서 변 BC에 내린 수선의 발을 H라고 하면, 삼각형 ABH는 직각삼각형이므로 피타고라스 정리에 의하여

$$\left(\frac{a}{2}\right)^2 + h^2 = a^2, \quad h^2 = a^2 - \frac{a^2}{4} = \frac{3}{4}a^2$$

그런데 $h > 0$이므로 $h = \sqrt{\frac{3}{4}a^2} = \frac{\sqrt{3}}{2}a$

따라서 정삼각형의 넓이는

$$\frac{1}{2}ah = \frac{1}{2}a \times \frac{\sqrt{3}}{2}a = \frac{\sqrt{3}}{4}a^2$$

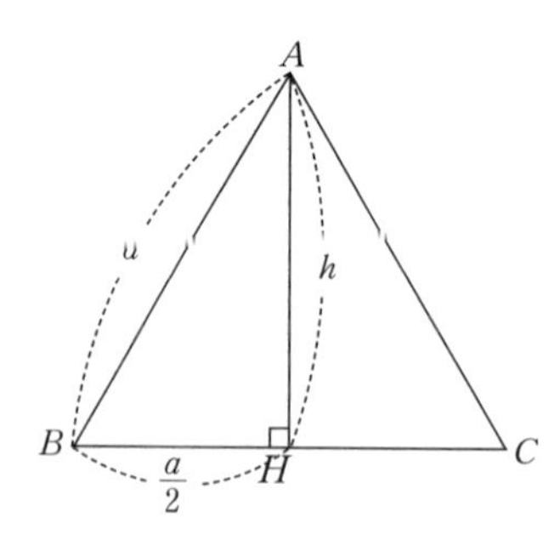

3) 좌표평면 위에서 두 점 사이의 거리

· 좌표평면 상의 두 점 $A(x_1,\ y_1)$, $B(x_2,\ y_2)$가 있을 때, 두 점 사이의 거리는

$$\overline{AB} = \sqrt{(x_2 - x_1)^2 + (y_2 - y_1)^2}$$

● 기본문제2

01 다음 사각형의 대각선의 길이를 구하면?

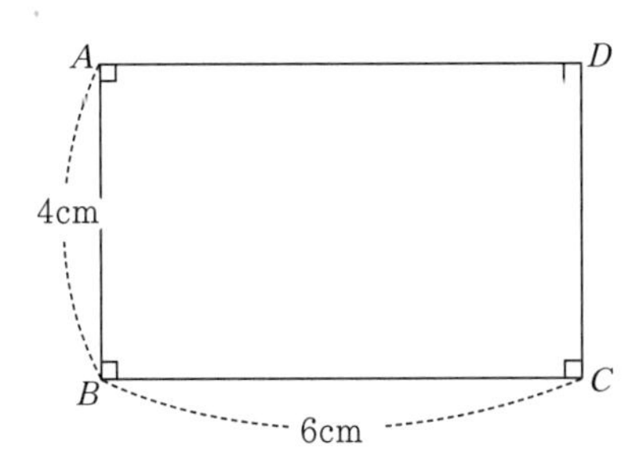

02 다음 사각형의 대각선의 길이를 구하면?

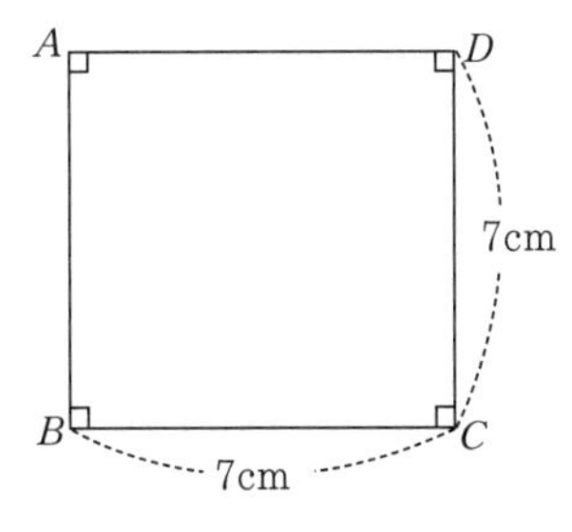

03 다음 정삼각형의 높이와 넓이를 구하면?

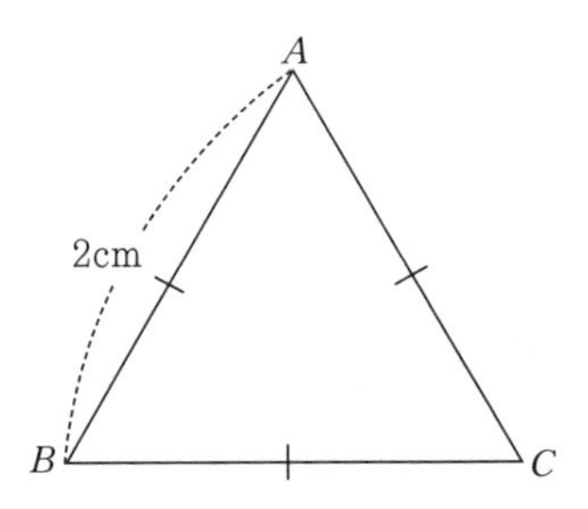

04 다음 좌표평면에서 원점 O와 A사이의 거리를 구하면?

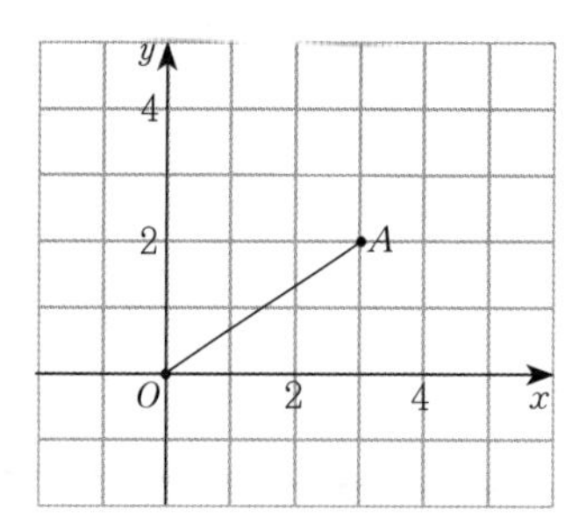

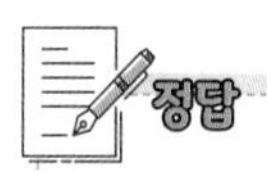

01. $2\sqrt{13}\,\text{cm}$
02. $7\sqrt{2}\,\text{cm}$
03. 높이 : $\sqrt{3}\,\text{cm}$, 넓이 : $\sqrt{3}\,\text{cm}^2$
04. $\sqrt{13}$

Exercises 10

단원문제 10

01 세 변의 길이가 각각 다음과 같을 때, 직각삼각형이 아닌 것은?

① $3, 4, 5$　② $2, 2\sqrt{3}, 4$
③ $1, 1, \sqrt{2}$　④ $4, 5, 9$

02 다음 직각삼각형에서 x의 길이는?

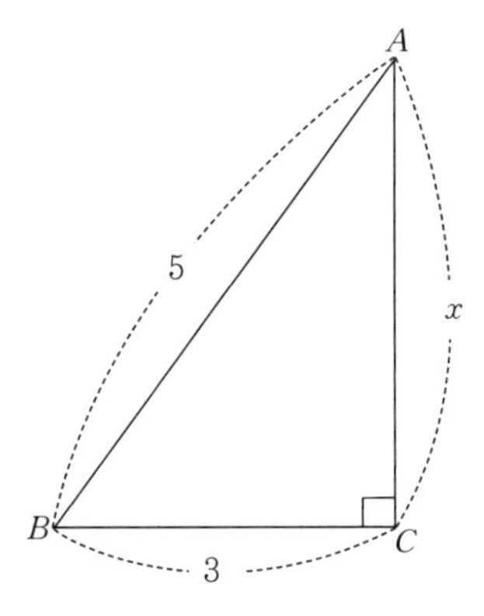

① 1　② 2
③ 3　④ 4

03 다음 그림과 같은 직각삼각형 ABC에서 $\overline{AC}$의 길이는?

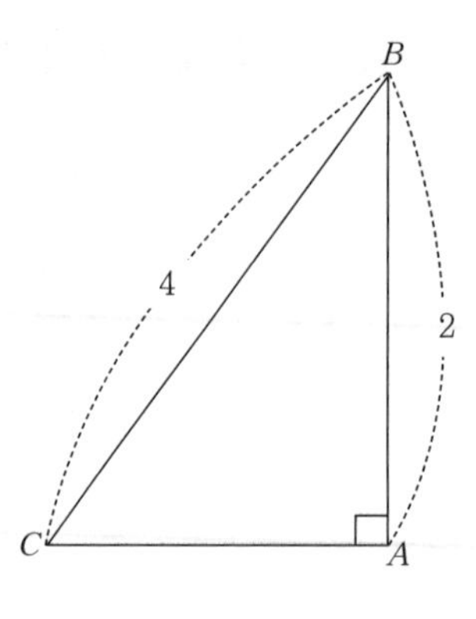

① 1　　② $2\sqrt{2}$
③ $2\sqrt{3}$　　④ 5

04 다음 그림과 같은 직사각형에서 x의 길이는?

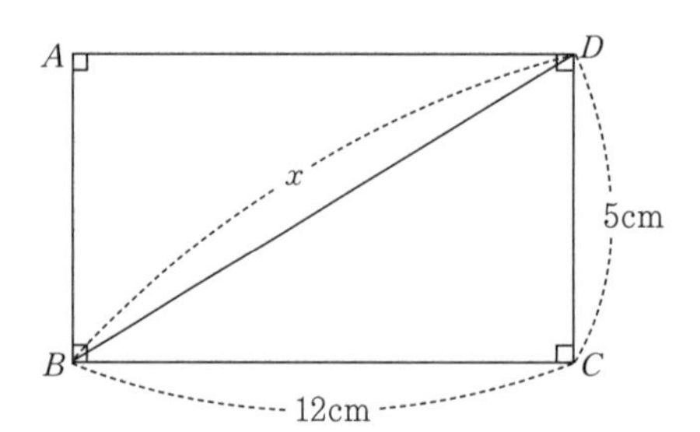

① 11cm　　② $6\sqrt{3}$ cm
③ $8\sqrt{2}$ cm　　④ 13cm

05 다음 정삼각형의 높이를 구하면?

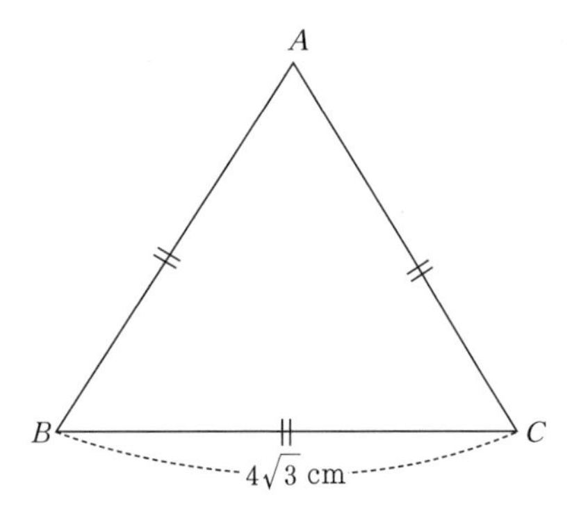

① 6cm ② $6\sqrt{3}$ cm

③ $8\sqrt{2}$ cm ④ 13cm

06 다음 두 점 $A(0,3)$, $B(4,0)$ 사이의 거리는?

① 1 ② $\sqrt{3}$

③ 3 ④ 5

정답 177쪽

Mathematics

11 원의 성질

11 원의 성질

1 원

1) 정의 : 평면 위의 한 점으로부터 원의 중심까지의 직선의 거리가 일정한 모든 점들의 집합

2) 원 용어

① 반지름 : 원의 중심으로부터 원 위의 한 점까지의 직선 거리

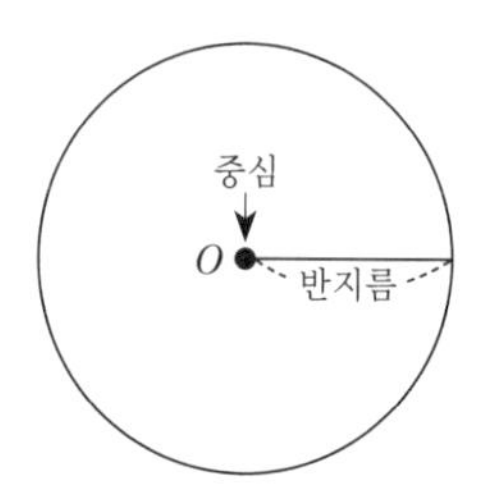

② 호 : 원 위에 두 점을 잡으면 원은 두 부분으로 나누어지는데 이 두 점을 연결한 선을 호라고 한다. 두 점 A, B를 양 끝 점으로 하는 호를 호AB라 하며, 이것을 기호로 $\overset{\frown}{AB}$와 같이 나타낸다.

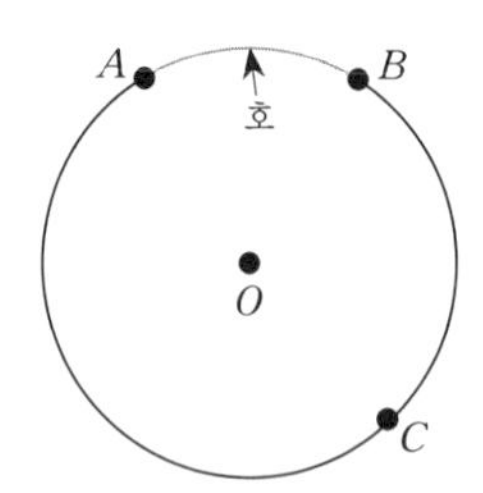

③ 중심각 : 두 반지름 OA, OB가 이루는 $\angle AOB$를 부채꼴 OAB의 중심각 또는 호 AB에 대한 중심각이라 한다.

④ 부채꼴 : 원 O에서 두 반지름 OA, OB와 호 AB로 이루어진 도형을 부채꼴 OAB라고 한다.

⑤ 지름 : 중심을 지나는 원의 양 끝점을 이은 직선

⑥ 현 : 원 위의 두 점을 이은 선분을 현이라 하며, 두 점 A, B를 양 끝 점으로 하는 선분을 현 AB라고 한다. 특히 원의 중심을 지나는 현은 그 원의 지름이다.

⑦ 활꼴 : 원 O에서 현 CD와 호 CD로 이루어진 도형을 활꼴이라고 한다.

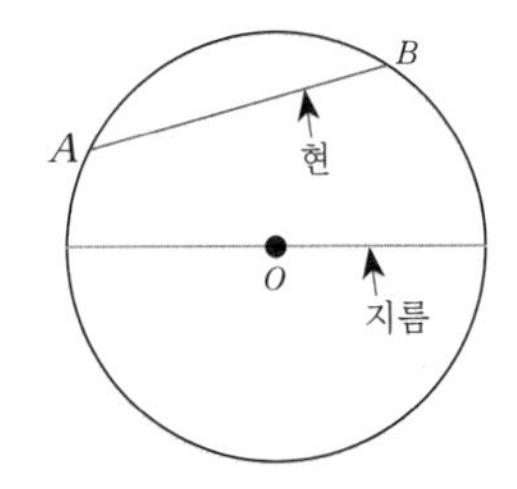

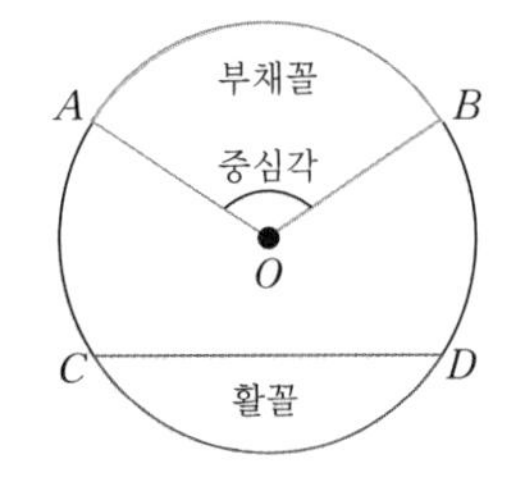

3) **원의 중심과 수직이등분선**

· 원 O의 중심에서 현 AB에 내린 수선의 발을 M이라고 하면, $\triangle OAM$과 $\triangle OBM$에서 $\angle OMA = \angle OMB = 90°$, $\overline{OA} = \overline{OB}$(반지름), $\overline{OM}$은 공통이다.

따라서 $\triangle OAM \equiv \triangle OBM$이므로 $\overline{AM} = \overline{BM}$ 이다.

즉, 원의 중심에서 현에 내린 수선은 그 현을 수직이등분한다.

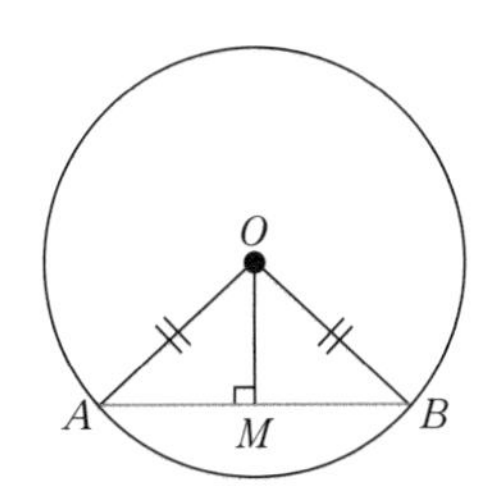

4) **원의 둘레의 길이와 넓이**

· 반지름의 길이가 r인 원의 둘레의 길이를 l, 넓이를 S라고 하면

$$l = 2\pi r, \quad S = \pi r^2$$

5) 원주율$= \dfrac{\text{원둘레의 길이}}{\text{지름의 길이}}$

6) **부채꼴의 호의 길이와 넓이**

· 반지름의 길이가 r이고 중심각의 크기가 $x°$인 부채꼴의 호의 길이를 l, 넓이를 S라고 하면

$$l = 2\pi r \times \frac{x}{360},\ S = \pi r^2 \times \frac{x}{360}$$

· 부채꼴의 호의 길이와 넓이는 중심각의 크기에 정비례한다.

● 기본문제1

01 다음 그림에서 x의 길이를 구하면?

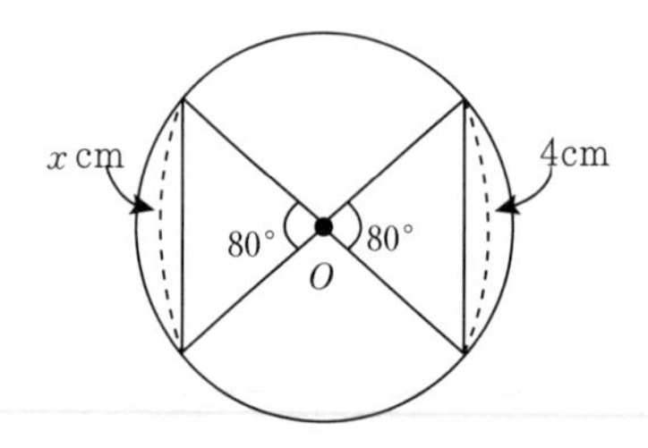

02 다음 그림에서 x의 크기를 구하면?

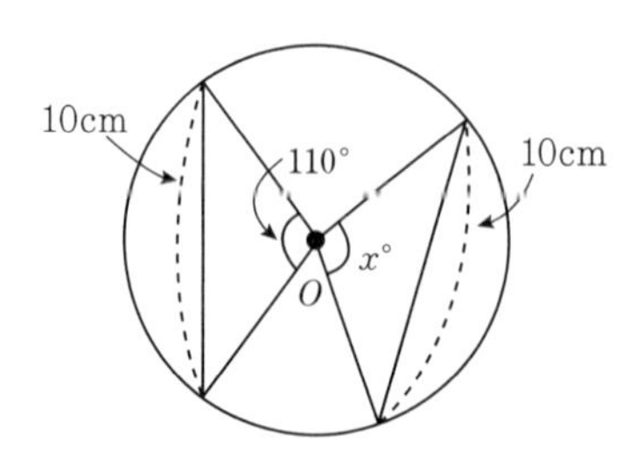

03 다음 그림에서 x의 길이를 구하면?

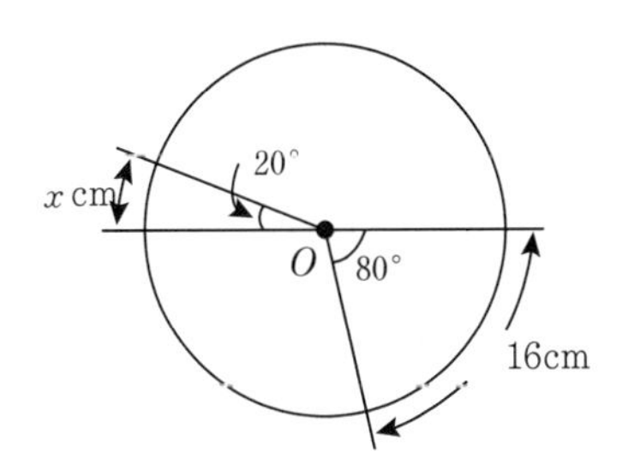

04 다음 그림에서 x의 길이를 구하면?

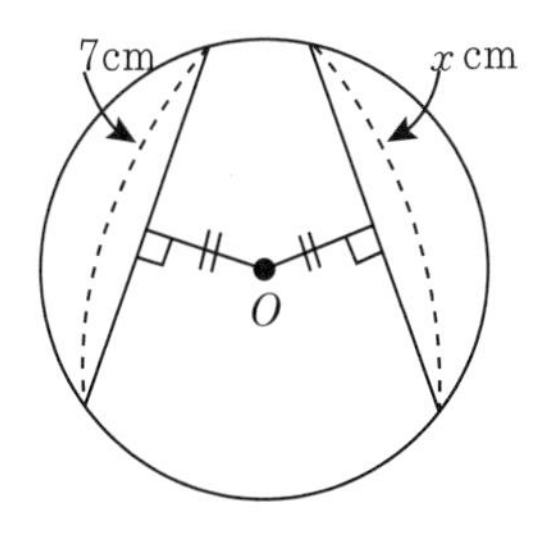

05 다음 원 O에서 x의 값을 구하여라.

① 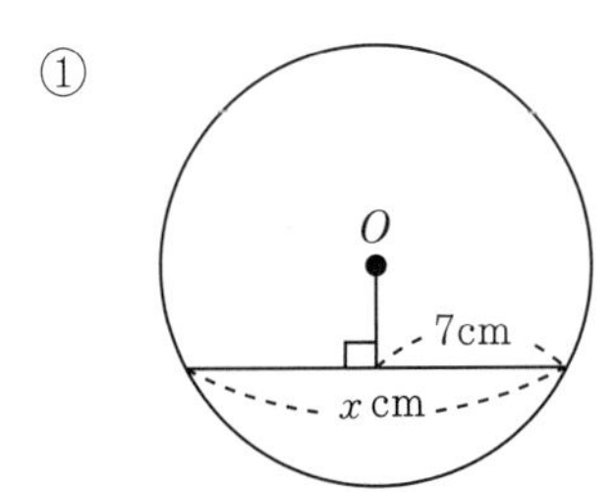

② 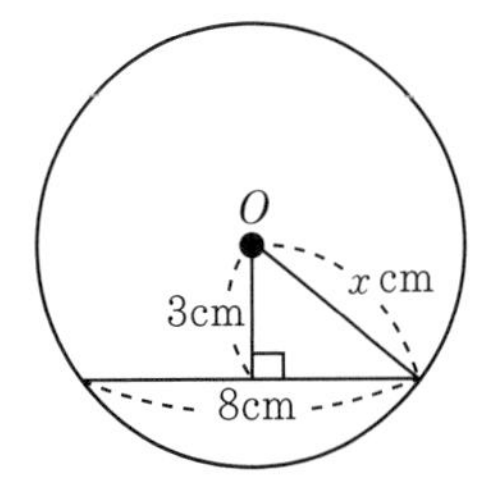

06 다음 부채꼴의 호의 길이와 넓이를 구하면?

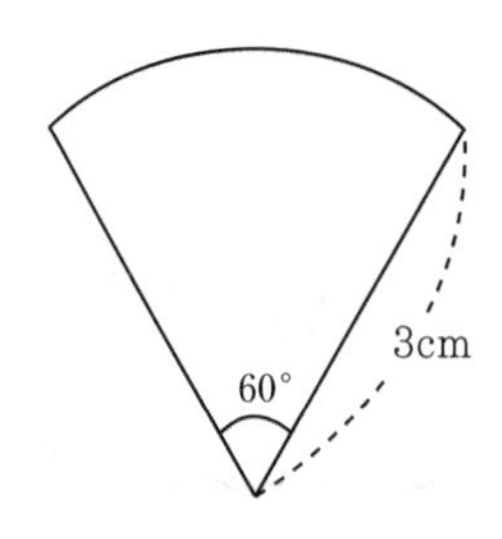

01. $x=4$ 02. $x=110$ 03. $x=4$
04. $x=7$ 05. ① 14 ② 5
06. 호의 길이 : π cm, 부채꼴의 넓이 : $\frac{3}{2}\pi$ cm^2

2 원의 접선

1) 접선의 길이

① 원 O 밖의 한 점 P에서 이 원에 그을 수 있는 접선은 두 개다. 두 접선의 접점을 각각 A, B라고 할 때, 선분 PA, PB의 길이를 점 P에서 원 O에 그은 접선의 길이라고 한다.

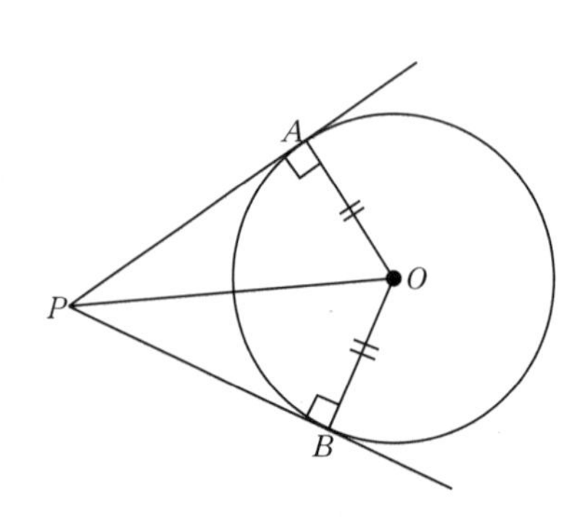

· $\triangle PAO$와 $\triangle PBO$에서 $\angle PAO = \angle PBO = 90°$, $\overline{OP}$는 공통, $\overline{OA} = \overline{OB}$ (반지름)이다. 따라서 $\triangle PAO \equiv PBO$이므로 $\overline{PA} = \overline{PB}$이다.

● 기본문제2

01 **다음 x의 길이를 구하시오.**

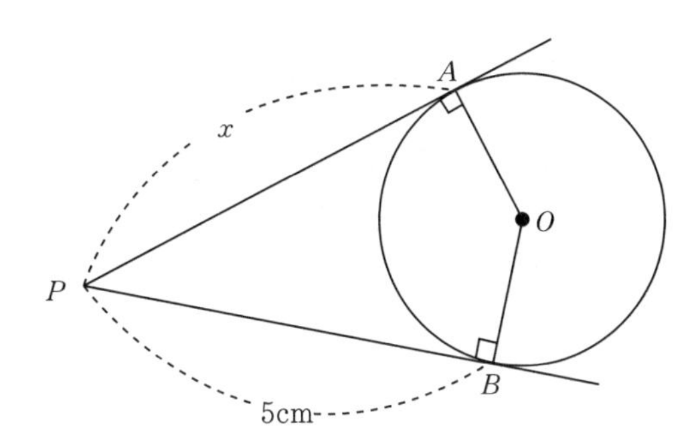

02 **다음 x의 길이를 구하시오.**

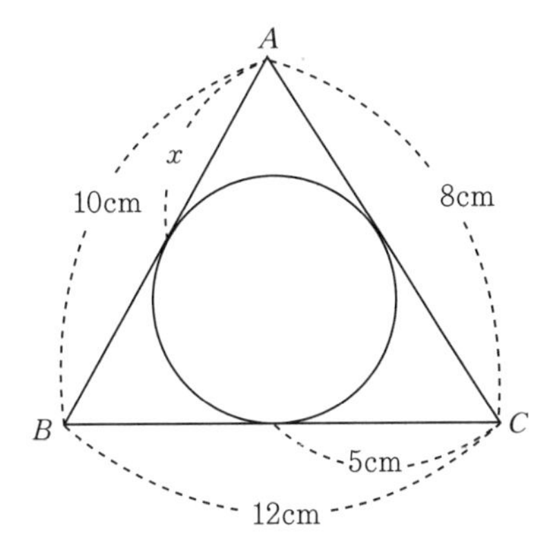

01. 5cm　　02. 3cm

3 원주각

1) 원주각

· 한 호에 대한 원주각의 크기는 일정하고, 그 호에 대한 중심각의 크기의 반이다.

$$\angle APB = \frac{1}{2}\angle AOB$$

2) 원주각의 성질

· 한 호에 대한 원주각의 크기는 모두 같다.

즉, $\angle APB = \angle AQB = \angle ARB$

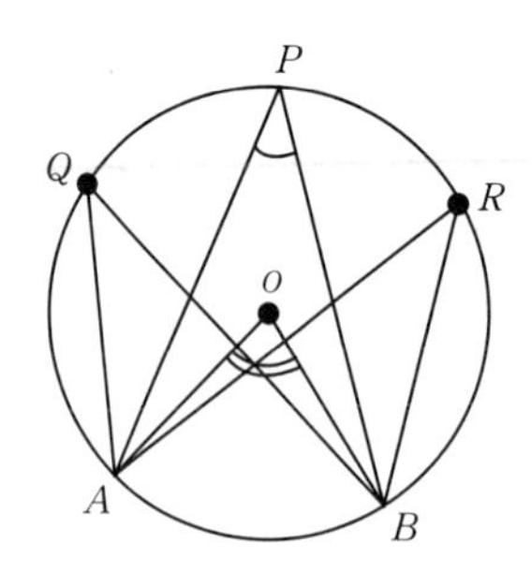

· 반원에 대한 원주각의 크기는 $90°$이다.

즉, 선분 AB가 지름이면 $\angle ACB = 90°$

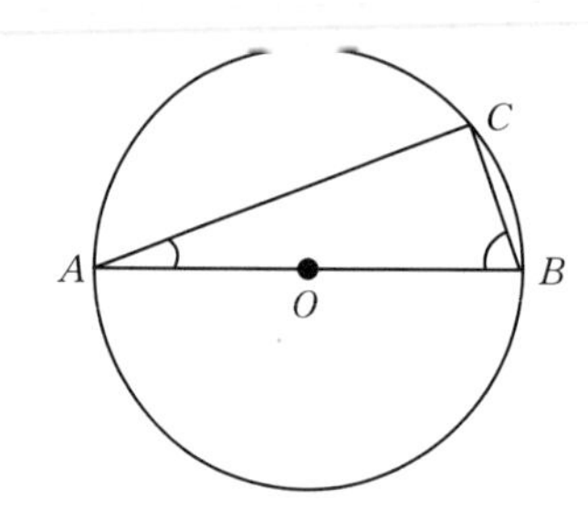

3) 내접사각형의 성질

① 내대각 : 사각형에서 한 외각에 이웃한 내각에 대한 대각을 그 외각의 내대각이라 한다.

② 원에 내접하는 사각형에서

· 한 쌍의 대각의 크기의 합은 $180°$이다.

$\angle A + \angle C = \angle B + \angle D = 180°$

· 한 외각의 크기는 그 내대각의 크기와 같다.

$\angle A = \angle DCE$

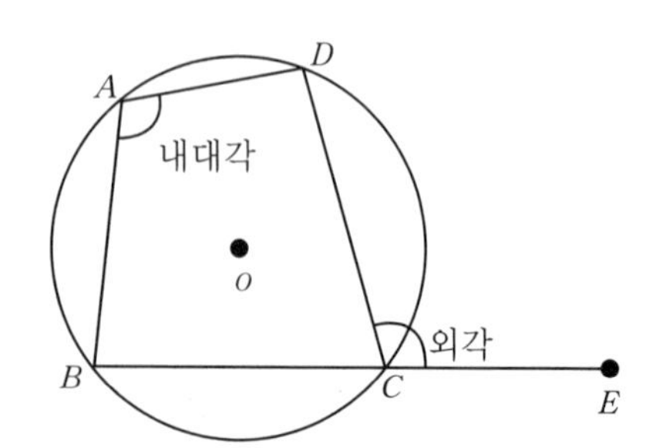

● 기본문제3

01 다음 그림에서 각 x의 크기를 구하면?

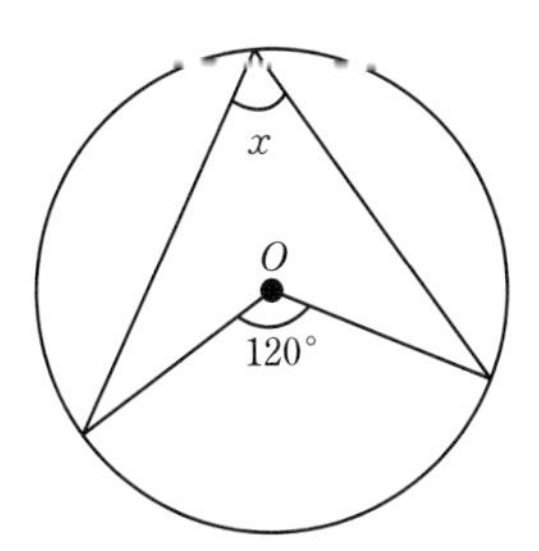

02 다음 그림에서 각 x의 크기를 구하면?

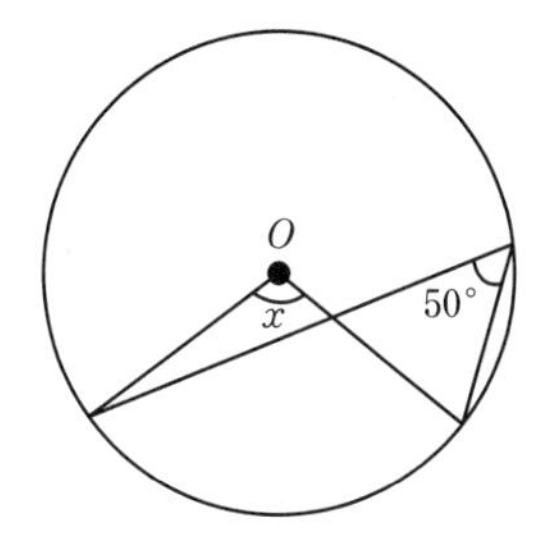

03 다음 그림에서 사각형 $ABCD$가 원에 내접할 때, x의 크기를 구하여라.

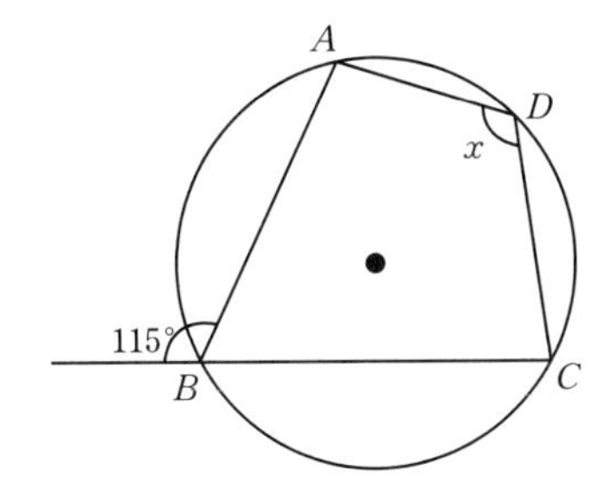

01. 60°   02. 100°   03. 115°

4 원의 접선과 할선

1) 한 원의 두 현 AB, CD 또는 이들의 연장선이 만나는 점을 P라고 하면

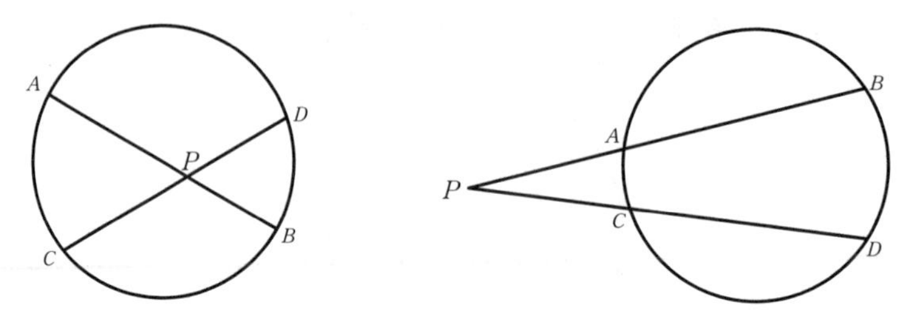

$$\overline{PA} \cdot \overline{PB} = \overline{PC} \cdot \overline{PD}$$

2) 접선과 할선의 선분의 비

· 한 원 외부의 한 점 P에서 그 원에 접선 PT와 할선 PAB를 그으면

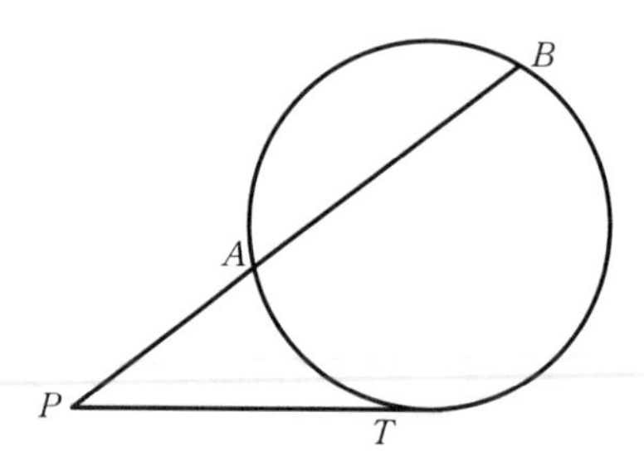

$$\overline{PT}^2 = \overline{PA} \cdot \overline{PB}$$

● 기본문제4

01 **다음 원에서 x의 길이를 구하여라.**

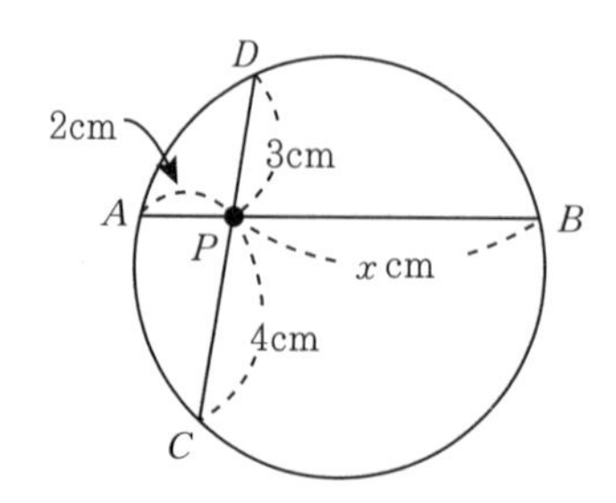

02 다음 원에서 x의 길이를 구하여라.

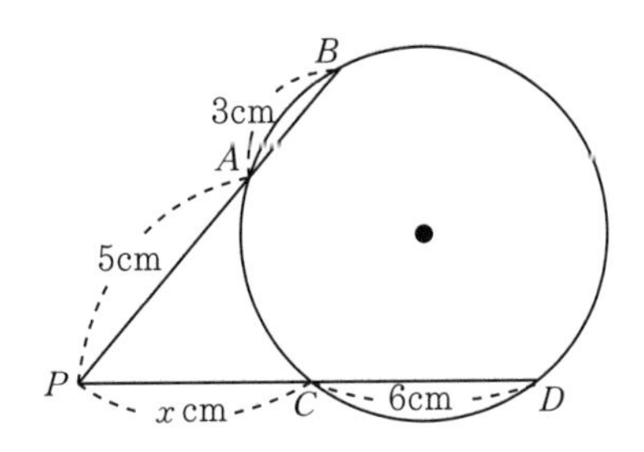

01. $x = 6$ 02. $x = 4$

Exercises 11

01

다음 그림에서 x의 크기를 구하면?

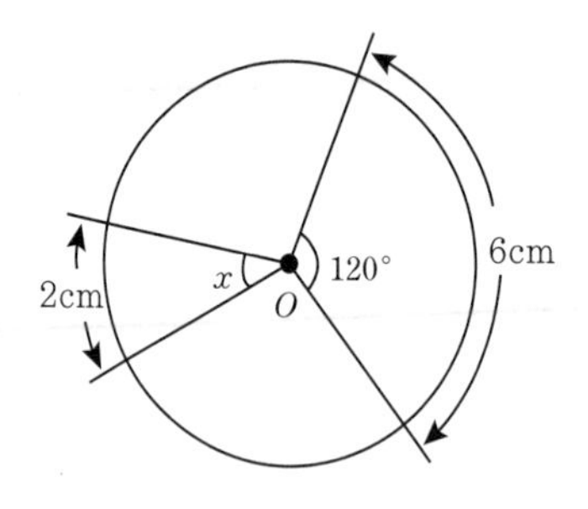

① 40°

② 60°

③ 80°

④ 100°

02

다음에서 x의 길이를 구하면?

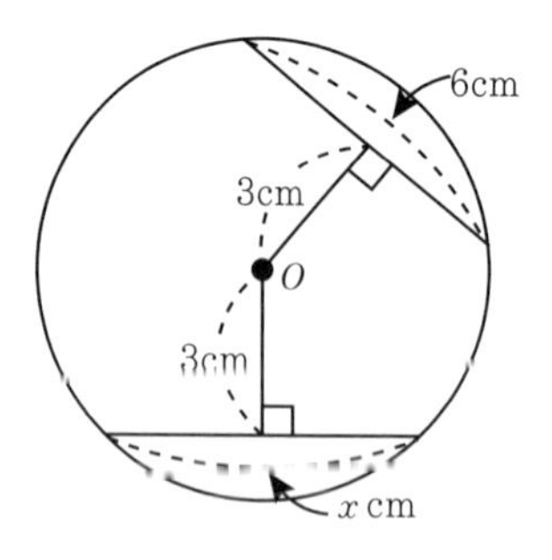

① 3

② 6

③ 9

④ 12

03

다음 x의 길이를 구하면?

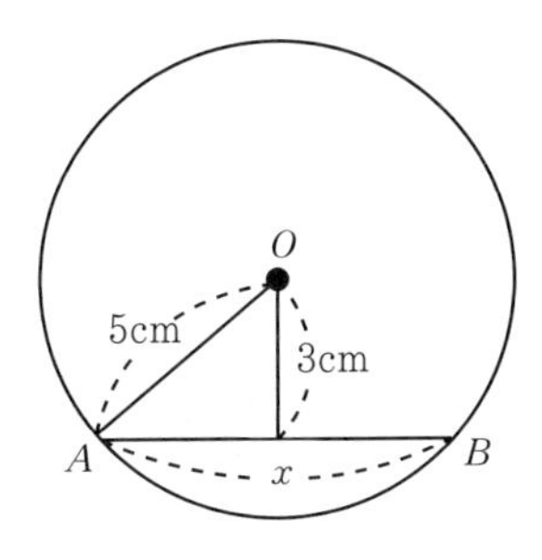

① 4cm ② 6cm
③ 8cm ④ 10cm

04

다음 각 x의 크기를 구하면?

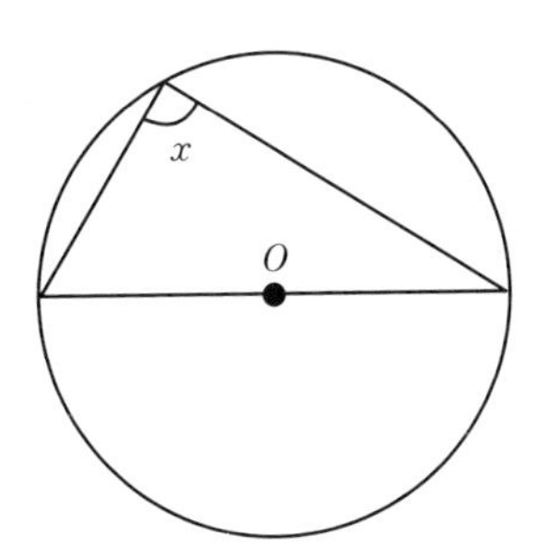

① $60°$ ② $70°$
③ $80°$ ④ $90°$

05 다음 각 x의 크기를 구하면?

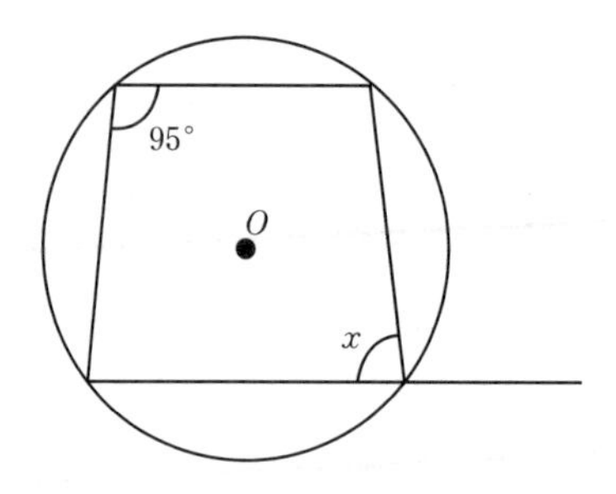

① 85° ② 95°
③ 110° ④ 130°

06 다음 x의 길이를 구하면?

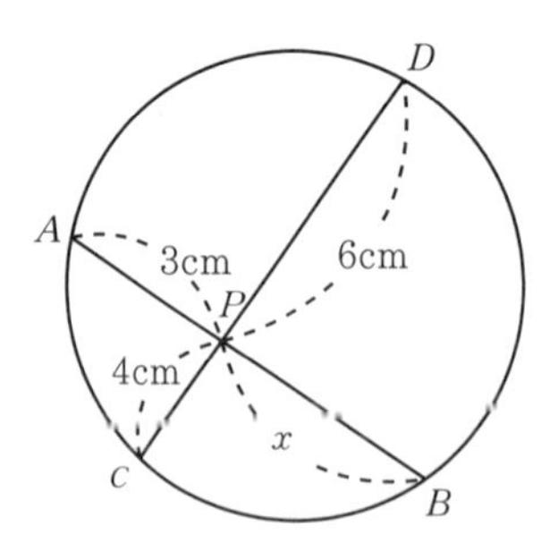

① 4cm ② 6cm
③ 8cm ④ 10cm

07

다음 원에서 x의 길이를 구하면?

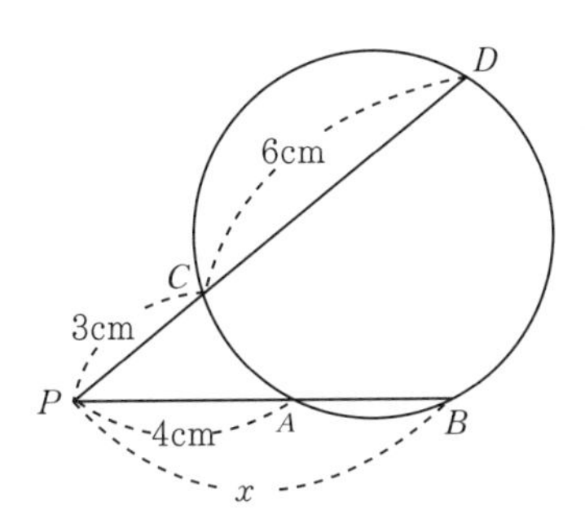

① 4cm
② $\frac{27}{4}$cm
③ 8cm
④ $\frac{9}{2}$cm

08

다음 원에서 x의 길이를 구하면?

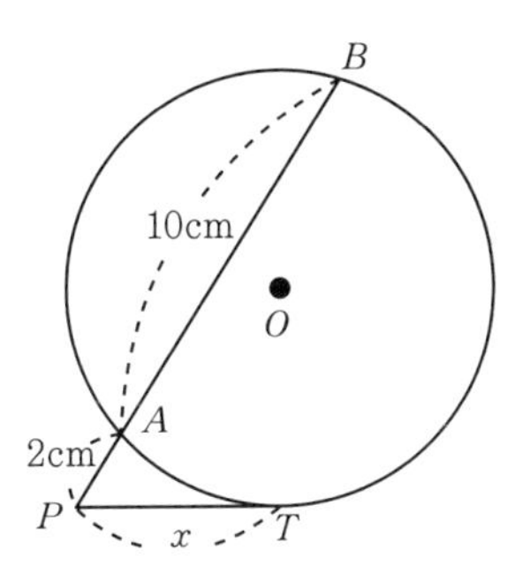

① $2\sqrt{6}$cm
② 12cm
③ 24cm
④ $3\sqrt{6}$cm

정답 177쪽

Mathematics

12

삼각비

12 삼각비

1 삼각비(직각삼각형의 각 변의 길이의 비율)

1) 삼각비의 정의

· 오른쪽 그림과 같이 $\angle C = 90°$인 직각삼각형 ABC에서 $\angle A$, $\angle B$, $\angle C$의 대변의 길이를 각각 a, b, c라고 하면

① $\sin B = \dfrac{\text{높이}}{\text{빗변}} = \dfrac{b}{c}$

② $\cos B = \dfrac{\text{밑변}}{\text{빗변}} = \dfrac{a}{c}$

③ $\tan B = \dfrac{\text{높이}}{\text{밑변}} = \dfrac{b}{a}$

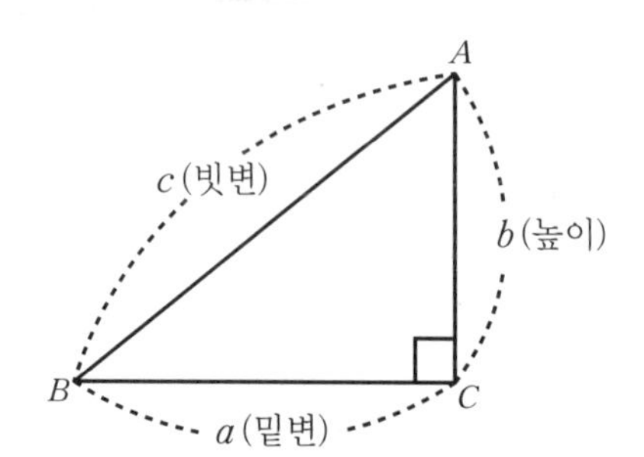

● 기본문제1

01 직각삼각형 ABC에서 $\sin B$, $\cos B$, $\tan B$의 값을 차례로 구하여라.

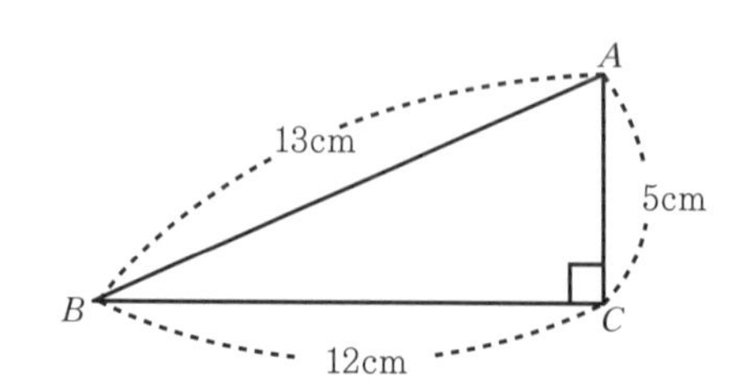

02

직각삼각형 ABC에서 $\tan B$의 값은?

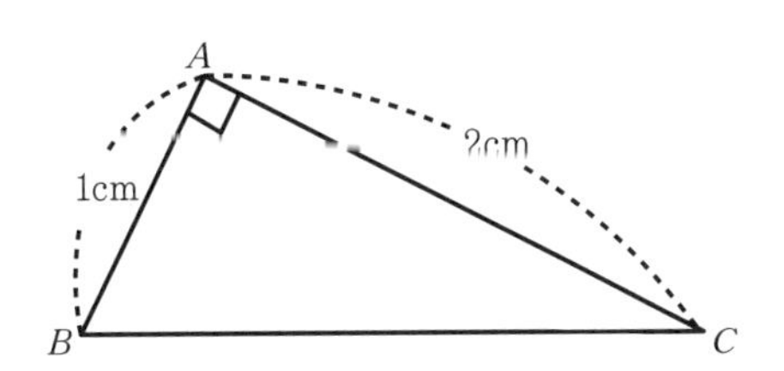

03

직각삼각형 ABC에서 $\sin A = \frac{2}{3}$일 때, x의 길이를 구하여라.

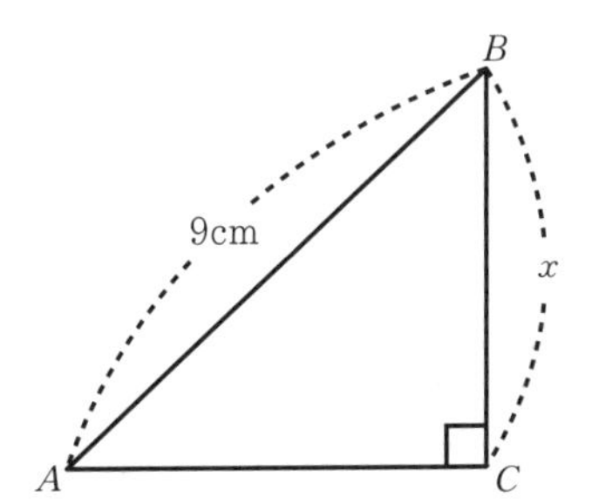

01. $\sin B = \frac{5}{13}$, $\cos B = \frac{12}{13}$, $\tan B = \frac{5}{12}$

02. 2

03. $x = 6\,\text{cm}$

2 삼각비의 활용

1) 특수한 각의 삼각비

삼각비 \ θ	$0°$	$30°$	$45°$	$60°$	$90°$
$\sin\theta$	0	$\frac{1}{2}$	$\frac{\sqrt{2}}{2}$	$\frac{\sqrt{3}}{2}$	1
$\cos\theta$	1	$\frac{\sqrt{3}}{2}$	$\frac{\sqrt{2}}{2}$	$\frac{1}{2}$	0
$\tan\theta$	0	$\frac{\sqrt{3}}{3}$	1	$\sqrt{3}$	없다

2) 삼각형의 넓이

① 삼각형 ABC에서 두 변의 길이 a, c와 그 끼인각 $\angle B$(예각)의 크기를 알 때, 삼각형 ABC의 넓이 $S = a \times c \times \frac{1}{2} \times \sin B$로 구할 수 있다.

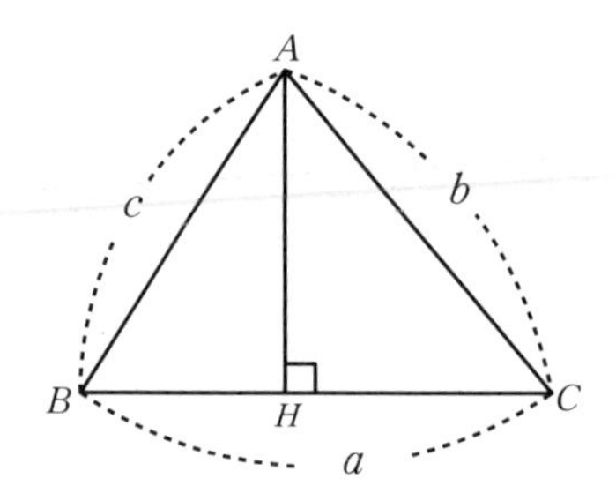

② 삼각형 ABC에서 두 변의 길이 b, c와 그 끼인각 $\angle A$(둔각)의 크기를 알 때, 삼각형 ABC의 넓이 $S = b \times c \times \frac{1}{2} \times \sin(180° - A)$로 구할 수 있다.

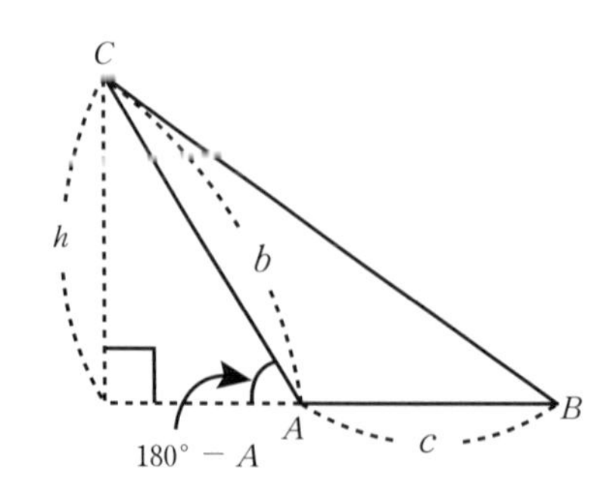

● 기본문제2

01 다음을 계산하여라.

① $\sin 30° + \tan 45°$

② $\cos 45° - \sin 45°$

③ $\tan 30° \times \tan 60°$

④ $\sin 30° + \cos 60°$

02 다음 삼각형의 넓이를 구하시오.

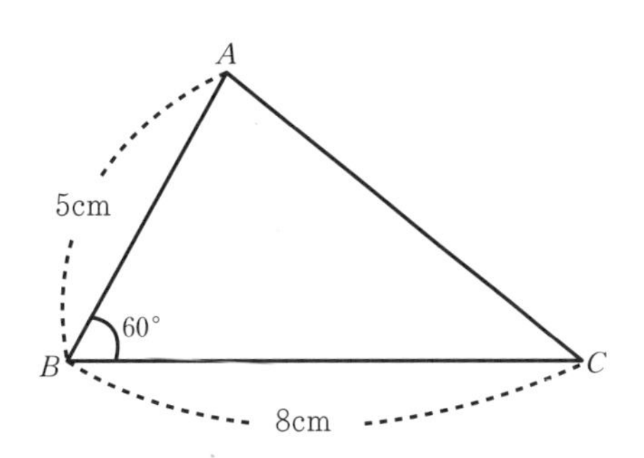

03 다음 삼각형의 넓이를 구하시오.

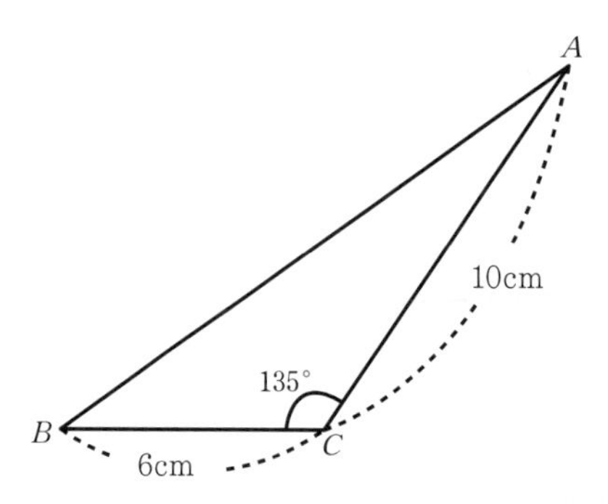

01. ① $\frac{3}{2}$ ② 0 ③ 1 ④ 1

02. $10\sqrt{3}\,\text{cm}^2$

03. $15\sqrt{2}\,\text{cm}^2$

Exercises 12

단원문제 12

01 삼각형 ABC에서 $\sin A$를 구하면?

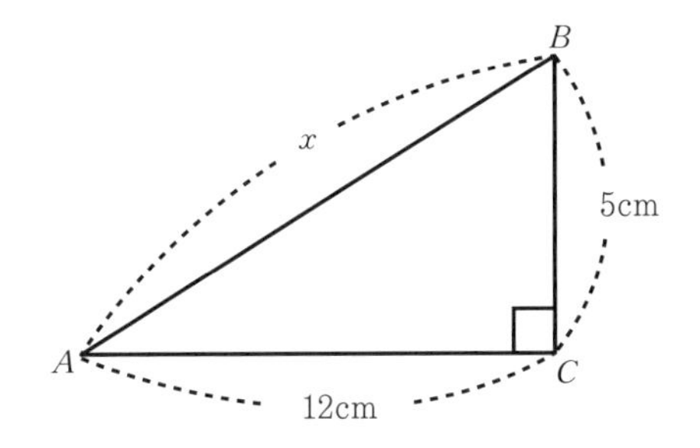

① $\frac{5}{13}$
② $\frac{12}{13}$
③ $\frac{5}{12}$
④ $\frac{12}{5}$

02 삼각형 ABC에서 $\cos A$를 구하면?

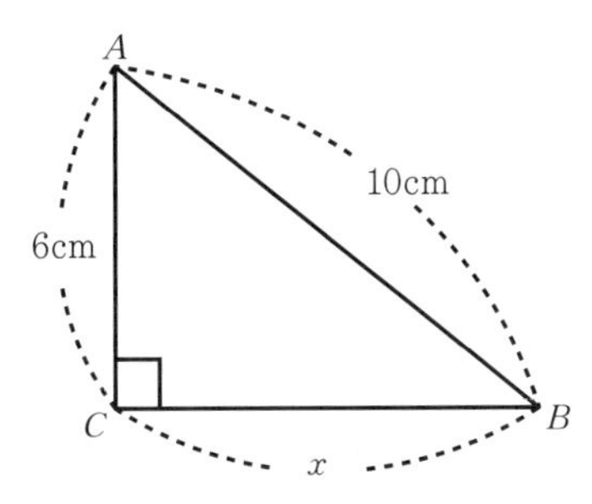

① $\frac{5}{4}$
② $\frac{3}{4}$
③ $\frac{4}{5}$
④ $\frac{3}{5}$

Exercises

03 다음 그림과 같이 $\angle C = 90^\circ$인 직각삼각형 ABC에서 $\tan B$의 값은?

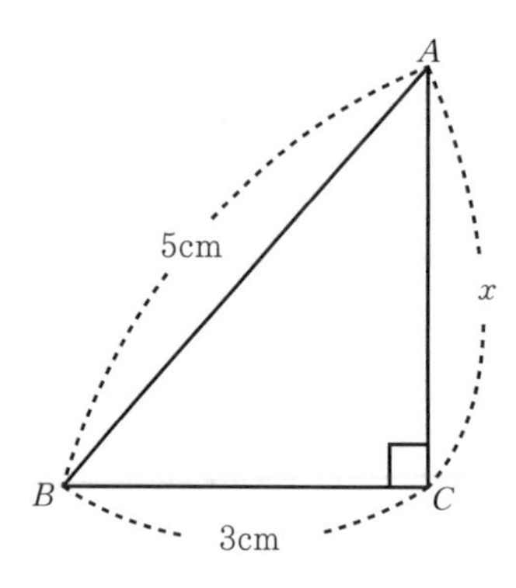

① $\frac{3}{4}$　　② $\frac{4}{3}$

③ $\frac{4}{5}$　　④ $\frac{5}{4}$

04 $0^\circ < x < 90^\circ$에서, $\sin x = \frac{\sqrt{2}}{2}$일 때, $\angle x$의 크기는?

① 30°　　② 45°

③ 60°　　④ 90°

05 $\tan 45^\circ \times \cos 45^\circ$를 계산하면?

① $\frac{1}{2}$　　② $\frac{\sqrt{2}}{2}$

③ 1　　④ $\frac{\sqrt{3}}{2}$

06

다음 삼각형 ABC의 넓이를 구하면?

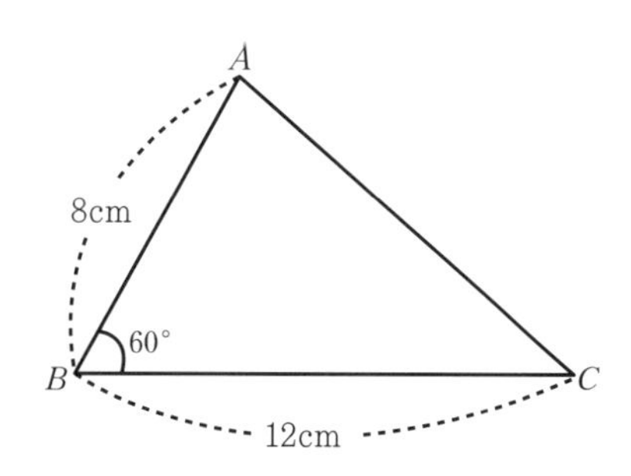

① 24cm^2　　② $24\sqrt{3}\ \text{cm}^2$

③ 48cm^2　　④ $48\sqrt{3}\ \text{cm}^2$

07

다음 삼각형 ABC의 넓이를 구하면?

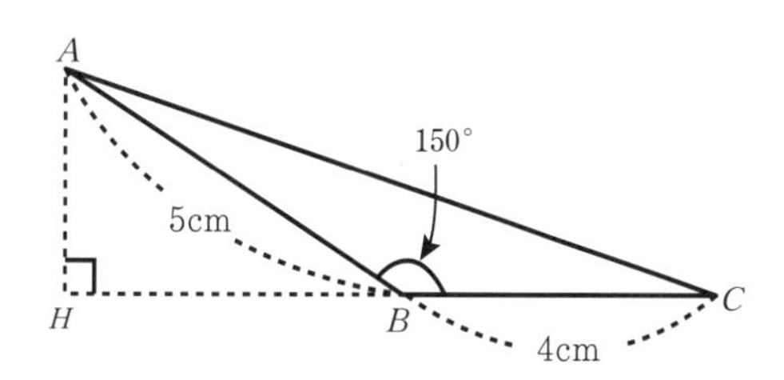

① 5cm^2　　② 20cm^2

③ $10\sqrt{2}\ \text{cm}^2$　　④ $20\sqrt{3}\ \text{cm}^2$

정답 177쪽

M a t h e m a t i c s

단원문제
정 답

단원문제 정답

1. 수와 연산(1)

01. ①	02. ④	03. ④	04. ③	05. ③
06. ①	07. ③	08. ④	09. ③	10. ③

2. 수와 연산(2)

01. ③	02. ②	03. ③	04. ③	05. ①
06. ③	07. ④	08. ①	09. ④	10. ③
11. ④	12. ①	13. ④	14. ①	15. ②
16. ④	17. ②	18. ②	19. ②	20. ②

3. 문자와 식

01. ①	02. ②	03. ①	04. ②	05. ①
06. ②	07. ③	08. ①	09. ③	

4. 방정식과 부등식

01. ②	02. ②	03. ④	04. ②	05. ④
06. ②	07. ④	08. ①	09. ①	10. ④

5. 함수

01. ③	02. ①	03. ②	04. ④	05. ②
06. ③	07. ③	08. ①	09. ③	10. ②
11. ③	12. ②	13. ①	14. ③	15. ③

6. 통계 확률

01. ④	02. ④	03. ③	04. ③	05. ③
06. ③	07. ②	08. ③		

7. 평면도형

01. ②	02. ②	03. ②	04. ②	05. ②
06. ③				

8. 사각형의 성질

01. ④	02. ③	03. ①	04. ②	05. ③
06. ④	07. ①	08. ①	09. ③	10. ①
11. ○	12. ○	13. ×		

9. 닮음꼴

01. ④	02. ②	03. ④	04. ①	05. ③
06. ③				

10. 피타고라스의 정리

01. ④	02. ④	03. ③	04. ④	05. ①
06. ④				

11. 원의 성질

01. ①	02. ②	03. ③	04. ④	05. ①
06. ③	07. ②	08. ①		

12. 삼각비

01. ①	02. ④	03. ②	04. ②	05. ②
06. ②	07. ①			

수학

인쇄일	2022년 9월 13일
발행일	2022년 9월 20일
펴낸이	(주)매경아이씨
펴낸곳	도서출판 국자감
지은이	편집부
주소	서울시 영등포구 문래2가 32번지
전화	1544-4696
등록번호	2008.03.25 제 300-2008-28호
ISBN	979-11-5518-109-6 13370

이 책의 무단 전재 또는 복제 행위는 저작권법 제 98조에 의거, 3년 이하의 징역 또는 3,000만원 이하의 벌금에 처하거나 이를 병과할 수 있습니다.

국자감 전문서적

기초다지기 / 기초굳히기

“기초다지기, 기초굳히기 한권으로 시작하는 검정고시 첫걸음”

· 기초부터 차근차근 시작할 수 있는 교재

· 기초가 없어 시작을 망설이는 수험생을 위한 교재

기본서

**“단기간에 합격! 효율적인 학습!
적중률 100%에 도전!”**

· 철저하고 꼼꼼한 교육과정 분석에서 나온 탄탄한 구성

· 한눈에 쏙쏙 들어오는 내용정리

· 최고의 강사진으로 구성된 동영상 강의

만점 전략서

“검정고시 합격은 기본! 고득점과 대학진학은 필수!”

· 검정고시 고득점을 위한 유형별 요약부터
문제풀이까지 한번에

· 기본 다지기부터 단원 확인까지 실력점검

www.kukjagam.co.kr

핵심 총정리

“시험 전 총정리가 필요한 이 시점! 모든 내용이 한눈에”

- 단 한권에 담아낸 완벽학습 솔루션
- 출제경향을 반영한 핵심요약정리

합격길라잡이

“개념 4주 다이어트, 교재도 다이어트한다!”

- 요점만 정리되어 있는 교재로 단기간 시험범위 완전정복!
- 합격길라잡이 한권이면 합격은 기본!

기출문제집

“시험장에 있는 이 기분! 기출문제로 시험문제 유형 파악하기”

- 기출을 보면 답이 보인다
- 차원이 다른 상세한 기출문제풀이 해설

예상문제

“오랜기간 노하우로 만들어낸 신들린 입시고수들의 예상문제”

- 출제 경향과 빈도를 분석한 예상문제와 정확한 해설
- 시험에 나올 문제만 예상해서 풀이한다

한양 시그니처 관리형 시스템

#정서케어 #학습케어 #생활케어

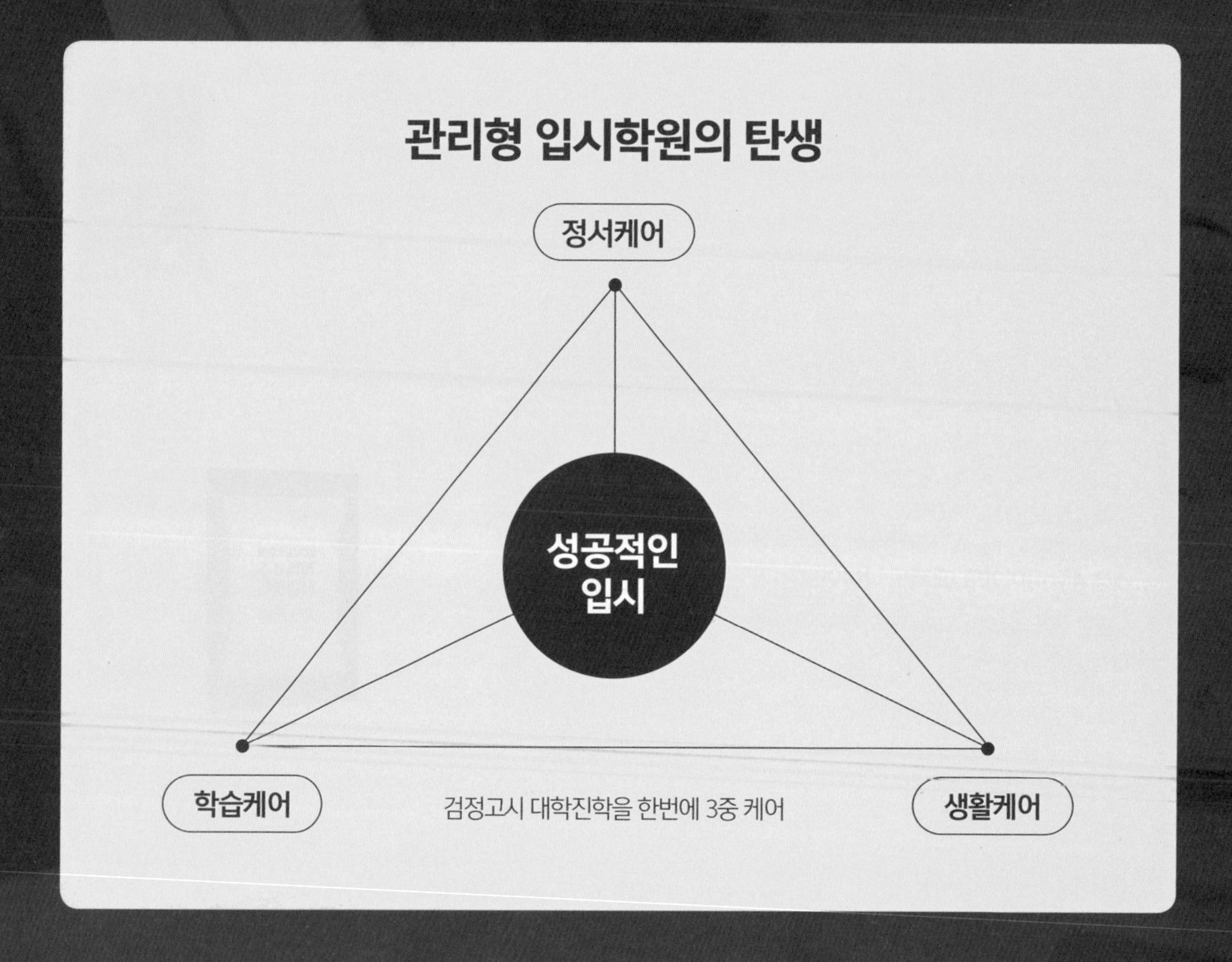

정서케어

- 3대1 멘토링
  (입시담임, 학습담임, 상담교사)
- MBTI (성격유형검사)
- 심리안정 프로그램
  (아이스브레이크, 마인드 코칭)
- 대학탐방을 통한 동기부여

학습케어

- 1:1 입시상담
- 수준별 수업제공
- 전략과목 및 취약과목 분석
- 성적 분석 리포트 제공
- 학습플래너 관리
- 정기 모의고사 진행
- 기출문제 & 해설강의

생활케어

- 출결점검 및 조퇴, 결석 체크
- 지습공간 제공
- 쉬는 시간 및 자습실
  분위기 관리
- 학원 생활 관련 불편사항
  해소 및 학습 관련 고민 상담

한양 프로그램 한눈에 보기

· 검정고시반 중·고졸 검정고시 수업으로 한번에 합격!

기초개념	기본이론	핵심정리	핵심요약	파이널
개념 익히기	과목별 기본서로 기본 다지기	핵심 총정리로 출제 유형 분석 경향 파악	요약정리 중요내용 체크	실전 모의고사 예상문제 기출문제 완성

· 고득점관리반 검정고시 합격은 기본 고득점은 필수!

기초개념	기본이론	심화이론	핵심정리	핵심요약	파이널
전범위 개념익히기	과목별 기본서로 기본 다지기	만점 전략서로 만점대비	핵심 총정리로 출제 유형 분석 경향 파악	요약정리 중요내용 체크 오류범위 보완	실전 모의고사 예상문제 기출문제 완성

· 대학진학반 고졸과 대학입시를 한번에!

기초학습	기본학습	심화학습/검정고시 대비	핵심요약	문제풀이, 총정리
기초학습과정 습득 학생별 인강 부교재 설정	진단평가 및 개별학습 피드백 수업방향 및 난이도 조절 상담	모의평가 결과 진단 및 상담 4월 검정고시 대비 집중수업	자기주도 과정 및 부교재 재설정 4월 검정고시 성적에 따른 재시험 및 수시컨설팅 준비	전형별 입시진행 연계교재 완성도 평가

· 수능집중반 정시준비도 전략적으로 준비한다!

기초학습	기본학습	심화학습	핵심요약	문제풀이, 총정리
기초학습과정 습득 학생별 인강 부교재 설정	진단평가 및 개별학습 피드백 수업방향 및 난이도 조절 상담	모의고사 결과진단 및 상담 / EBS 연계 교재 설정 / 학생별 학습성취 사항 평가	자기주도 과정 및 부교재 재설정 학생별 개별지도 방향 점검	전형별 입시진행 연계교재 완성도 평가

D-DAY를 위한 신의 한수

검정고시생 대학진학 입시 전문

검정고시 합격은 기본!
대학진학은 필수!

입시 전문가의 컨설팅으로 성적을 뛰어넘는 결과를 만나보세요!

HANYANG ACADEMY

YouTube

모든 수험생이 꿈꾸는 더 완벽한 입시 준비!

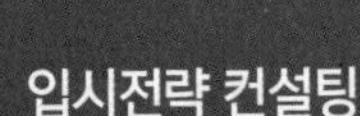

입시전략 컨설팅 · 수시전략 컨설팅 · 자기소개서 컨설팅

면접 컨설팅 · 논술 컨설팅 · 정시전략 컨설팅

입시전략 컨설팅

학생 현재 상태를 파악하고 희망 대학 합격 가능성을 진단해 목표를 달성 할 수 있도록 3중 케어

수시전략 컨설팅

학생 성적에 꼭 맞는 대학 선정으로 합격률 상승! 검정고시 (혹은 모의고사) 성적에 따른 전략적인 지원으로 현실성 있는 최상의 결과 보장

자기소개서 컨설팅

지원동기부터 학과 적합성까지 한번에! 학생만의 스토리를 녹여 강점은 극대화 하고 단점은 보완하는 밀착 첨삭 자기소개서

면접 컨설팅

기초인성면접부터 대학별 기출예상질문 대비와 모의촬영으로 실전면접 완벽하게 대비

대학별 고사 (논술)

최근 5개년 기출문제 분석 및 빈출 주제를 정리하여 인문 논술의 트렌드를 강의! 지문의 정확한 이해와 글의 요약부터 밀착형 첨삭까지 한번에!

정시전략 컨설팅

빅데이터와 전문 컨설턴트의 노하우 / 실제 합격 사례 기반 전문 컨설팅

MK 감자유학

Valuable education content provider

We're Experts

우리는 최상의 유학 컨텐츠를 지속적으로 제공하기 위해 정기 상담자 워크샵, 해외 워크샵, 해외 학교 탐방, 웨비나 미팅, 유학 세미나를 진행합니다.
이를 통해 국가별 가장 빠른 유학트렌드 업데이트, 서로의 전문성을 발전시키며 다양한 고객의 니즈에 가장 적합한 유학솔루션을 제공하기 위해 최선을 다합니다.

KEY STATISTICS

30년+ 전통교육그룹

17개 국내최다센터

15년 평균상담경력

24개국 해외네트워크

2,600+ 해외교육기관

Educational

감자유학은 교육전문그룹인 매경아이씨에서 만든 유학부문 브랜드입니다. 국내 교육 컨텐츠 개발 노하우를 통해 최상의 해외 교육 기회를 제공합니다.

The Largest

감자유학은 전국 어디에서나 최상의 해외유학 상담을 제공할 수 있도록 국내 유학 업계 최다 상담 센터를 운영하고 있습니다.

Specialist

전 상담자는 평균 15년이상의 풍부한 유학 컨설팅 노하우를 가진 전문가 입니다. 이를 기반으로 감자유학만의 차별화된 유학 컨설팅 서비스를 제공합니다.

Global Network

미국, 캐나다, 영국, 아일랜드, 호주, 뉴질랜드, 필리핀, 말레이시아 등 감자유학 해외네트워크를 통해 발빠른 현지 정보 업데이트와 안정적인 현지 정착 서비스를 제공합니다.

Oversea Instituitions

고객에게 최상의 유학 솔루션을 제공하기 위해서는 다양하고 세부화된 해외 교육기관의 프로그램이 필수 입니다. 2천개가 넘는 교육기관을 통해 맞춤 유학 서비스를 제공합니다.

2020
대한민국 교육 산업
유학 부문 대상

2012 / 2015
대한민국 대표
우수기업 1위

2014 / 2015
대한민국 서비스
만족대상 1위

OUR SERVICES

현지 관리
안심시스템

엄선된
어학연수교

전세계 1%대학
입학 프로그램

전문가
1:1 컨설팅

All In One
수속 관리

English Language Study

Internship

University Level Study

Early Study abroad

English Camp

24개국 네트워크 미국 | 캐나다 | 영국 | 아일랜드 | 호주 | 뉴질랜드 | 몰타 | 싱가포르 | 필리핀

국내 유학업계 중 최다 센터 운영!

감자유학 전국센터

강남센터	강남역센터	분당서현센터	일산센터	인천송도센터
수원센터	청주센터	대전센터	전주센터	광주센터
대구센터	울산센터	부산서면센터	부산대연센터	
예약상담센터	서울충무로	서울신도림	대구동성로	

문의전화 **1588-7923**

왕초보 영어탈출 **구구단 잉글리쉬**

ABC 알파벳부터 회화까지~~ 구구단보다 쉬운영어~ ♪♬

01 | **구구단잉글리쉬는 왕기초 영어 전문 동영상 사이트 입니다.**
알파벳 부터 소리값 발음의 규칙 부터 시작하는 왕초보 탈출 프로그램입니다.

02 | **지금까지 영어 정복에 실패하신 모든 분들께 드리는 새로운 영어학습법!**
오랜기간 영어공부를 했었지만 영어로 대화 한마디 못하는 현실에 답답함을 느끼는 분들을 위한 획기적인 영어 학습법입니다.

03 | **언제, 어디서나 마음껏 공부할 수 있는 환경을 제공해 드립니다.**
인터넷이 연결된 장소라면 시간 상관없이 24시간 무한반복 수강!
태블릿 PC와 스마트폰으로 필기구 없이도 자유로운 수강이 가능합니다.

체계적인 단계별 학습

파닉스	어순	뉘앙스	회화
· 알파벳과 발음 · 품사별 기초단어	· 어순감각 익히기 · 문법개념 총정리	· 표현별 뉘앙스 · 핵심동사와 전치사로 표현력 향상	· 일상회화&여행회화 · 생생 영어 표현

파닉스		어순		어법
1단 발음트기	2단 단어트기	3단 어순트기	4단 문장트기	5단 문법트기
알파벳 철자와 소릿값을 익히는 발음트기	666개 기초 단어를 품사별로 익히는 단어트기	영어의 기본어순을 이해하는 어순트기	문장확장 원리를 이해하여 긴 문장을 활용하여 문장트기	회화에 필요한 핵심문법 개념정리! 문법트기

뉘앙스		회화	
6단 느낌트기	7단 표현트기	8단 대화트기	9단 수다트기
표현별 어감차이와 사용법을 익히는 느낌트기	핵심동사와 전치사 활용으로 쉽고 풍부하게 표현트기	일상회화 및 여행회화로 대화트기	감 잡을 수 없었던 네이티브들의 생생표현으로 수다트기

왕초보 영어탈출
구구단 잉글리쉬